DE LA MÊME AUTEURE

CHEZ LA MÊME ÉDITRICE,

La Malentendue, roman, 1983.
Prix des Jeunes Écrivains du Journal de Montréal, 1984.

La Maison du remous, roman, 1986.
Prix littéraire de la Bibliothèque centrale de prêt du Saguenay-Lac St-Jean, 1987.

L'Enfant de la batture, roman, 1988.
Prix Air Canada, 1989.

Lettres à cher Alain, prose, 1990.
Prix du livre «fiction» de l'année, Gala du livre du Saguenay-Lac St-Jean, 1991.

Les Inconnus du jardin

Les Éditions de La Pleine Lune
C.P. 28
Lachine (Québec)
H8S 4A5

Illustration de la couverture
François Vincent, *Estelle, no 1*, 1991,
huile sur papier marouflé sur panneau, 140 cm X 91,5 cm.

Maquette de la couverture
Guy Lafrenière

Infographie et montage
Typo Data Plus

Distribution
Prologue
1650, boul. Lionel-Bertrand
Boisbriand (Québec)
J7E 4H4
Téléphone: (514) 434-0306
Télécopieur: (514) 434-2627

NICOLE HOUDE

Les Inconnus du jardin

ROMAN

la pleine lune

ISBN 2-89024-072-X

Dépôt légal — Quatrième trimestre 1991
Bibliothèque nationale du Québec
Bibliothèque du Canada

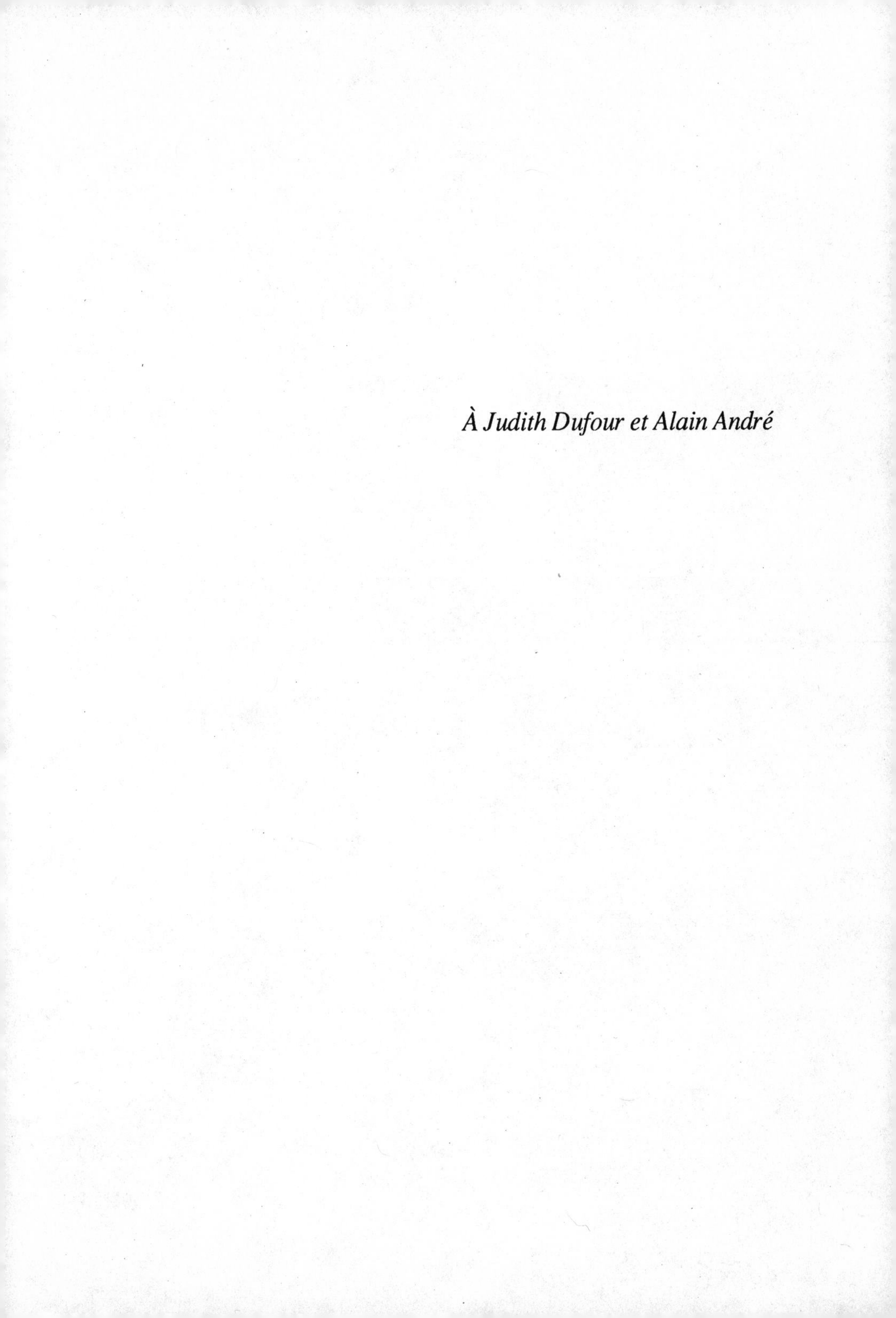

À Judith Dufour et Alain André

On ne se console de rien
lorsqu'on marche en tenant une main,
la périlleuse floraison de la chair d'une main.

René Char, *Le Nu perdu.*

CHAPITRE 1

Diane ferme à clef la porte de son logement, fait quelques pas dans la rue Adam et remonte ensuite le boulevard Pie IX jusqu'à Sherbrooke. Au jardin botanique, le long du ruisseau, se côtoient des fleurs. Sur des planchettes enfoncées dans la terre, elle découvre des noms d'inconnues: Solange, Katherine Fay, Mrs Perry, Corinne Wersan et Marie Finon. Dire, dans le silence absolu, Evelyn Claar, la Fiancée, la Distance et la Liberté, dire bonjour à ces étrangères. C'est une question d'heures, Solange et la Liberté fleuriront bientôt dans ce jardin rempli d'allusions. Près de l'étang entouré par des poiriers de Mandchourie, par des sorbiers de Laponie et du Caucase, elle s'égare dans les pays évoqués ici par des arbres. Puis c'est une autre question: elle court, elle caresse le tronc d'un merisier et sourit, mais est-ce bien elle qui court, qui caresse le tronc d'un merisier et qui sourit en ce moment? Tout demeure profondément vrai, profondément faux. Le corps change à cause d'une foule de détails, à cause des différents contextes qui le bouleversent, qui lui recroquevillent les épaules, qui lui raidissent la nuque.

Diane salue l'orpheline. Chaque jour, c'est pareil, cette jeune fille, devant le cerisier de Mahaleb, martèle avec une cuillère le banc sur lequel elle est assise. Il n'arrive rien, pas un rire, pas un clignement de cils, pas un frémissement sur ce visage, il n'arrive personne sur le banc à part cette déficiente, orpheline de son visage.

Chaque jour, c'est pareil, c'est rassurant, Édith marche sur le sentier qui borde les deux étangs en portant une valise; Clément, son compagnon, se penche, écarte des brins d'herbe comme s'il y cherchait un objet. Diane les entrevoit derrière un rideau de brouillard; elle n'est sortie de l'hôpital Louis-Hippolyte Lafontaine que depuis un mois et se sent en mauvais état. Cela, le mauvais état, envahit tout ce qu'elle examine et elle revient chaque jour au jardin pour dire bonjour à ceux qui évoluent dans des états moins incertains, celui de la valise, celui où l'on s'incline vers l'herbe. Le trente avril ses mains tremblent, le trente avril ses jambes flageolent, le trente avril son cou se crispe. Songer à la date, songer à n'importe quoi. Le trente avril, un goéland se berce sur l'eau bleue, le trente avril, un homme, près des sorbiers, la regarde.

Est-elle vraiment sortie de l'hôpital? Est-ce bien elle qui secoue la tête dans ce grand jardin où tout pourrait redevenir possible? À l'hôpital Louis-Hippolyte Lafontaine, on l'avait abandonnée avec une prisonnière en elle; cette femme-là ne réussissait pas à voir les choses que chacun paraissait voir. Diane a fait semblant de se réhabituer au contexte d'une personne ordinaire mais la prisonnière n'est pas partie. Le matin, il faut l'habiller, la persuader d'avancer, il faut l'amener au jardin. Diane relève la tête. Le trente avril, elle sourit à Édith et à Clément. Certains gestes, certains mots conservent l'importance du monde: elle s'approche de Clément et d'Édith, leur serre la main et leur dit bonjour.

L'homme ne cesse de la dévisager. Il doit deviner son état. Elle n'a en sa possession que des doigts fébriles, triturant la poignée de son sac à main. Dans le ciel, des hirondelles essaiment et dessinent des constellations noires et fugitives. Elles lui donnent le courage d'avancer, d'atteindre le bois des lilas où maintenant peut vraiment être maintenant, tandis qu'elle frôle les branches dansantes de Marie Finon et de madame Casimir Périer. Le grand jardin est rempli d'êtres dont elle ne connaît que le nom ou le prénom gravé sur une planchette. Elle les attend, elle saluera ces inconnus du grand jardin où, il lui semble, tout demeure possible.

— Quelle heure est-il?

Diane sursaute. L'homme l'a suivie. Elle lui répond:

— J'sais pas.

Elle ferme les yeux. Elle dormira avec cet homme, la nuit prochaine; elle saisira sa main dans une seconde. Là-bas, elle n'a touché personne durant des mois.

L'homme lui enlève sa robe. Elle se regarde, elle effleure le duvet brun sur la poitrine de cet homme. Est-ce bien elle qui l'embrasse de toutes ses forces? Est-ce bien elle qui chantonne en défaisant les draps? Le corps mène sûrement une double vie. Il a peur. Il veut apprendre la tissure des doigts de l'autre. Elle ferme les yeux à cause de cette manie de toujours se regarder, de toujours regarder son propre corps qui ne lui appartient pas complètement, elle ferme les yeux depuis qu'elle est exclue de la vie de ce corps égaré dans ses pensées. Elle palpe le visage de l'homme. Tant de jours aveugles pendant ces six mois qu'elle a passés avec cette prisonnière en elle, dans la résidence surveillée. Elle ouvre les yeux. Il y a du soleil dans les pupilles de l'homme. Il y a un immense sourire sur la peau de l'homme, mouvante, semblable à la mer, soulevée par des vagues qui tremblent et qui déferlent. Certains êtres conservent sûrement en eux l'importance du monde. Des fleurs, des étoiles gémissent sur l'aréole de ses seins. Une tempête d'ailes blanches brille dans la pénombre de ses jambes. L'homme mordille ses lèvres, caresse ses cuisses, l'homme lèche ses hanches, son ventre, son pubis, la nymphe se durcissant. Elle est verte comme la mousse dans laquelle soupirent des anthéridies et des archégones enlacés. Verte comme la mousse, cela dure un instant, mauve comme la chair du soir, cela dure un instant, bleue comme une bête avalant la pluie, cela dure très longtemps, sa tête chavire entre les cuisses de l'homme, dans la beauté du sperme, très longtemps, très liquidement s'étirer entre deux moitiés du monde joignant leurs paumes. L'homme croit qu'elle frissonne parce qu'elle a froid, elle croit le contraire, elle plonge en pleine chaleur, en pleine douceur, elle n'entend que la musique de Mozart. Et l'homme porte des yeux, des lèvres, un nez et un front, des détails singuliers sur son visage qu'elle palpe, et l'homme l'emporte dans le pays de Mozart en pressant son ventre, son clitoris, en buvant cette folie heureuse qui coule d'elle.

Ce matin, elle s'éveille hors contexte. Aucun rapport ne subsiste entre cet homme et celui d'hier soir. Il enfile son pantalon et sa chemise rapidement. Il l'invite à déjeuner au restaurant. Elle refuse. Il l'interroge: «Nous nous reverrons?» Elle ne répond pas. Elle se lève. L'homme s'en va.

Le matin, tout est toujours à recommencer: les objets accrochés aux murs ont perdu dans la nuit, la mémoire de ces liens qui existent entre eux et sans lesquels la chambre ne peut redevenir une chambre. Les choses ne supportent pas la solitude, l'obscurité; les chambres ne supportent pas la détresse des choses. Chaque jour, c'est pareil, Diane court acheter une rose chez le fleuriste de la rue Adam; elle la dépose dans un vase de porcelaine, sur la petite table d'entrée. Les roses sont peuplées de souvenirs, le mot «souvenir» s'arrête sur ses lèvres. Elle n'arrive pas à exprimer ce qui fait la puissance des roses. La prisonnière s'agite, revient dans la chambre, elle veut dormir; Diane et elle partagent le même corps, la même peau officielle. Aujourd'hui, de nouveau, il ne faut pas céder, il faut l'habiller, la persuader d'avancer, il faut sortir, remonter le boulevard Pie IX jusqu'à Sherbrooke afin d'aller saluer les inconnus du grand jardin.

Sur un banc près de l'étang, Diane distingue à peine les silhouettes d'Édith et de Clément. Le mauvais état ne s'éternisera pas. Dans dix minutes, elle se sentira mieux, elle aura des bras, des jambes et des yeux. C'est une question de temps.

Elle aperçoit l'orpheline de visage sur le banc, devant le cerisier de Mahaleb. Édith a posé sa valise rouge par terre; elle prend un peigne et coiffe les cheveux de l'orpheline. Maintenant peut être maintenant.

Appuyé contre le tronc d'un érable, l'homme l'examine. Il ignore que chaque jour, tout est à recommencer: la chambre, la rose, les pas sur le trottoir, les arbres, ici, venant d'ailleurs, de Laponie, de Mandchourie, du Japon, du Caucase et de Lombardie. L'homme s'approche. Il saisit sa main. Il affirme qu'il fait beau. Diane voudrait crier que c'est faux, que c'est mort dans sa poitrine mais la pression des doigts de l'homme sur sa main réveille en elle un étrange bonheur. Verte comme la mousse, mauve comme la chair du soir, bleue comme une bête avalant la pluie. Hier, dans le pays de Mozart, elle existait. Ce matin, elle a peur, elle voudrait partir, elle voudrait dormir. Sa main tremble dans celle de l'homme. Elle cherche une date, elle ne tombera pas dans ce gouffre-là. Le premier mai, la corde d'un cerf-volant voltige dans les airs, le premier mai, les goélands s'entassent sur l'herbe. Sa main ne tremble plus, le premier mai, elle entraîne l'autre vers le ruisseau.

***

Il s'imagine avoir rencontré cette femme auparavant, à Paris ou à Genève, sans en être entièrement convaincu. Il se penche avec elle sur les planchettes et s'applique à y lire les noms des iris. Son paquet de cigarettes tombe sur le sentier. Maladroitement, il le ramasse et écrase la hampe d'une fleur. Il se met à parler très fort, il dit qu'il est né à Genève. En hochant la tête, il pense plutôt qu'il est né d'une proposition de l'inexactitude.

Diane se tait. Elle n'a murmuré qu'un mot devant un plant de pivoine, «gravide»; ensuite, elle lui a offert une pive de mélèze dans ce monde un peu irréel d'où elle semble venir. Il est troublé par un mot, par une pive, par ce qui se produit entre eux. Et il dérange le silence en murmurant qu'il fait beau, qu'il fait chaud.

— La liberté, c'est une question d'interprétation; ici, la liberté sera bientôt interprétée par des heuchères sanguins.

Il aurait préféré qu'elle choisisse un sujet de conversation anodin. L'allure d'un gardien, le passage des oiseaux auraient fait l'affaire, n'importe quoi, n'importe qui, au lieu de cette phrase surprenante. Il mordille son pouce. Va-t-il enserrer la taille de cette femme ou se contenter de lever les yeux vers le ciel? En général, il attend quelques minutes avant de se prononcer. Un mouvement et, déjà, on se heurte au fait accompli. Il lève les yeux vers le ciel, il appelle à son secours des banalités qu'il récite studieusement. Elle a des yeux pers étincelants, des cheveux d'un roux incroyable, et puis la brise ne gâte rien, la journée s'annonce magnifique.

Il cherche vainement des formules qui sauveraient la situation du mutisme.

Ils se promènent au hasard, dépassent les cerisiers. Diane lui montre un arbre. Les branches de l'amélanchier japonais ondulent, remuées par le désir enfoui dans les entrailles de la terre. L'écorce, douce et lisse, frémit, se courbant à certains endroits pour ébaucher la forme d'un genou, d'une cuisse, d'un coude; l'écorce frémit et se ploie, elle vibre autour du tronc et s'élance, tel un cri de plaisir, le long des branches arc-boutées.

Gilles joint les mains devant sa poitrine. C'est comme ça, la vie. Elle disparaît des années, puis réapparaît soudain au détour d'une allée, douce, lisse et crémeuse, sculptée par les vents intérieurs d'un arbre. Il a voyagé pendant des années; à Paris, à Lima, à Calcutta, un peu partout dans le monde réel, il n'a aperçu personne, il n'a pas vu la vie qui ruisselle en ce moment sur les branches de cet amélanchier et sur le visage de Diane, se tenant droite dans le monde un peu irréel de ce jardin. Il presse entre ses mains ce visage. La vie, c'est comme ça, des yeux verts et des lèvres entrouvertes. Il soulève Diane. Il serre entre ses bras la vie qui est comme ça, recouverte d'un tissu fragile de la tête aux pieds, d'une peau douce, lisse et crémeuse.

Il observe Diane qu'il a étendue sur le sol, près d'un bouleau.

— Qu'est-ce qui arrive?

La gorge nouée, il ne parvient pas à répondre. Il ne veut pas déranger le silence. Diane redemande:

— Qu'est-ce qui arrive?

— Rien.

Il se reprend:

— Je pense que c'est complètement fou, on n'avoue pas ça d'habitude à quelqu'un qu'on n'a rencontré que deux fois: je t'aime.

Elle se détourne. Il distingue mal l'inscription de la planchette apposée sur le bouleau. Il s'est prononcé, il n'a pu attendre quelques minutes, et le fait accompli lui donne un cœur lourd, un cœur d'enfant de cinq ans qui souhaite revenir en arrière, et des doigts d'enfant de cinq ans qu'il mord.

Il suffit d'un amélanchier pour bouleverser l'ordre des années, pour bousculer la paisible succession des événements. Un oiseau chante. Les oiseaux ne devraient pas avoir le droit de chanter quand on surveille les alentours de son cœur, suspendu à la pensée d'une étrangère qui pourrait avoir l'audace de répondre que «la liberté, c'est une question d'interprétation». «Je t'aime», il a l'impression d'avoir hurlé ces mots qu'apparemment, elle n'a pas entendus. «Je t'aime», il a l'impression d'avoir mal entendu.

Cela s'est passé ainsi, il faisait beau, il faisait chaud, Diane restait muette tandis que lui ne cessait de parler. Son corps s'échappait, pleuvait autour de lui. Il disait à Diane qu'ils ne se quitteraient jamais, qu'elle et lui trouveraient le bonheur, il lui disait des généralités très éloignées de la splendeur fulgurante de l'amélanchier japonais. L'herbe chatoyait, bougeait même dans l'inconcevable mobilité de ce jour. Les feuilles des arbres devenaient de petits soleils.

Cela s'est passé ainsi parmi les géantes inexactitudes. Diane murmurait son prénom. Jusque-là, Gilles n'avait pas soupçonné que son prénom pût ressembler à de la musique, sur des lèvres humaines. Diane le conduisait au bois des lilas en lui étreignant le bras. Elle lui présentait des inconnues, Marie Finon et madame Casimir Périer. Jusque-là, il n'avait pas soupçonné la double personnalité des lilas. Étonné, il l'écoutait. Elle l'entretenait d'iris et d'arbustes gravides dans le contexte du grand jardin. Il n'était plus complètement lui-même car la légèreté lui empruntait ses bras et ses jambes, car il se déplaçait dans ce que racontait sa chair: voltiger dans les airs, sur les branches des saules, suivre la brise au-dessus de l'étang, se confondre avec les vaguelettes de l'eau, ondoyer dans le vert de ses yeux, dans le gris de ses yeux, dans l'incertitude de ses yeux. Elle venait d'un monde un peu irréel dans lequel elle l'attirait. Et il émergeait de lui-même avec des ailes à la place des bras.

Dans sa chambre louée à la semaine, il révise la journée, chaque heure, chaque seconde, alors que cela se passait ainsi: une foule de goélands tapissait l'herbe en bordure de l'étang, semblables à d'énormes flocons de neige tombés du ciel. L'espace chancelait, se noyait dans ce blanc. Il avait serré plus fort la main de Diane. Il ne savait pas ce qui allait lui arriver, probablement allait-il s'enfoncer dans les vagues mouvantes de l'immensité. Il avait voulu en discuter avec elle mais n'avait réussi qu'à chuchoter: «Vois-tu?»

La vie, c'était comme ça, c'était cette femme aux doigts fébriles, triturant la poignée d'un sac à main, cette femme conçue par la fragilité, il l'aurait juré. Il l'aurait bercée, cette nuit, il l'aurait longuement aimée; elle en avait décidé autrement: «Pas ce soir.»

La nuit approche. Il flânera dans les rues de Montréal, avec au-dessus de lui les étoiles étirant leurs griffes de cristal. Demain, il rencontrera Diane, il lui dira: «Vois-tu?» Il ne sait jamais ce qui va arriver avec le flot des mots tourbillonnants qui risquent de débusquer des souvenirs. En général, ils ne voient pas le jour.

***

Elle s'était réveillée en pensant que plus rien ne serait pareil, qu'elle aimait un homme. Elle découvrirait peut-être, en ouvrant les yeux, le contexte de la chambre; les objets n'auraient peut-être pas oublié, dans la nuit, les liens qu'ils ourdissent entre eux. Mais tout était demeuré profondément vrai, profondément faux en même temps. Elle s'était levée, avait acheté une rose chez le fleuriste de la rue Adam. Les objets de la chambre admettraient bientôt leur vieille liaison car ils s'enfantent dans des souterrains où se sont nouées, durant des heures, les mains de la matière et celles des ouvriers: c'est là leurs racines, et c'est là ce que leur rappellent les roses.

Malgré qu'elle aime un homme, maintenant n'est pas vraiment maintenant, elle éprouve de la difficulté à respirer. Elle a salué les étrangères du bois des lilas et celles du ruisseau. Son existence dépend toujours du fait de saluer des inconnus. Assise sur le banc, près de l'étang, elle ferme les yeux, elle habille le temps de pives de mélèze.

Quelqu'un tousse à côté d'elle. Elle murmure:

— Gilles.

Elle le contemple, se redresse et effleure ses cheveux. Elle l'appelle mon cœur, mon ange, elle l'appelle Mozart, elle songe qu'elle est folle, ce qui ne la surprend pas puisque des médecins ont déjà posé un diagnostic identique. Elle rit. Solange, Evelyn Claar, Corinne Wersan. Les insolites douceurs qui fouillent sa chair pourraient se nommer ainsi. Il fait beau, il fait chaud. Elle écoute Gilles et cela paraît primordial qu'il fasse beau, qu'il fasse chaud. Gilles tend le bras:

— Vois-tu?

L'amour, c'est une question d'interprétation. Elle l'appelle encore mon cœur, mon ange. Pourquoi tant de mots se manifestent-ils pour appeler un seul homme? Elle recouvre ses esprits devant Édith qui bégaie:

— Bon-bonjour.

Édith entrebâille sa valise rouge et leur montre son contenu: une chaînette, une balle et une bouteille. Clément assure que c'est irréfutable, de l'herbe, des épinettes, de la neige, de l'espace. Gilles et Diane ne comprennent plus ce que grommelle Clément alors qu'il disparaît avec Édith derrière les cerisiers.

Des cheveux bruns, des pupilles noires, des lèvres

moqueuses, entrouvertes par un sourire qui semble se répandre sur le visage de Gilles, elle veut n'être que ce visage. Certains hommes conservent l'importance du monde. Elle court avec lui. N'être que ce visage dans le contexte de la chambre.

Étendue sur le lit, elle s'en va au loin, les paupières closes. Les mains de Gilles errent sur son corps perdu dans la bouche grande ouverte de la lumière. La peau de ses bras, de ses jambes et de son ventre se soulève, gémit et râle en s'enfonçant dans la douceur, dans la fureur sans nom. Elle pénètre là où on ne peut plus parler. Elle pénètre dans des terres frissonnantes qui lui mordent les seins, qui lui lèchent les hanches, qui s'arc-boutent sur ses cuisses, dans des terres d'où naissent des caresses pareilles à des bêtes levant vers elle des yeux égarés. La beauté diaphane de la matière, la beauté violente de la pluie, de la nuit, des pays sauvagement tendres, tout ce qu'elle ne connaît pas et qui s'avance, plein de lui, plein d'elle, sans qu'elle puisse se reconnaître. Elle sourit comme une bête. Tout ce qu'elle ne connaît pas se fait brise et brûlure, se fait fleur et tempête. La peau sûrement devient une question d'interprétation quand on pénètre là où on ne peut plus parler, quand la tête oscille sur l'oreiller, quand le ventre chavire dans un cri dont on ne sait plus s'il remue sur les lèvres, dans les bras ou dans le ventre. La chair ploie, reçoit la visite de la soie, des fleurs, des tempêtes. L'autre si présent se change en soleils plongeant l'univers dans une merveilleuse confusion. On n'est plus qu'un corps emmêlé, hors du temps. On glisse dans un cri qui réveille la mort, la vie entière.

Puis les gestes s'endorment. Il ne reste plus qu'elle sur le lit, à côté d'un homme qui lui caresse la joue. Le deux mai, elle ne tombera pas dans le gouffre du brouillard, le deux mai, elle écrira une courte lettre à Virginia avant de s'endormir. Lorsqu'elle s'allongera près de l'homme immobile, ce sera déjà le trois mai.

— Quelle heure est-il?

— Tu m'aimes?

— À quoi penses-tu?

Dans la chambre profondément vraie, profondément fausse, elle ne trouve rien à répondre. Pressée, elle s'habille et va acheter une rose pendant qu'il prépare le déjeuner.

À son retour, il lui demande de s'asseoir. Les objets sur les murs n'ont pas cette manie des interrogatoires:

— Tu ne manges pas?

— Quel âge as-tu?

— Travailles-tu?

Elle l'ignore: elle ne réside pas vraiment dans cet appartement, elle se déplace dans le brouillard. Ce matin, elle n'a pas encore salué les inconnus du jardin, elle n'a pas rencontré Édith, ni Clément, ni l'orpheline. Elle parvient à marmonner:

— Je n'ai pas faim.

Ses mains ont de la difficulté à tenir la tasse de café.
— Travailles-tu?
— J'ai dû prendre congé.

Les prisonnières hésitent en posant leurs pieds sur l'herbe, qui pourrait être un papillon ou une libellule. Gilles et Diane arpentent le bois des lilas, ils contournent le ruisseau. À force de marcher, Diane revient vers elle-même, vers lui. Gilles ressemble à un arbre, à un nuage, à un enfant. Elle l'appelle mon cœur, mon ange. Sur son visage, la peau afflue par vagues, et c'est beau, c'est la mer sur ce visage qu'elle palpe à la façon des aveugles. Elle embrasse Gilles. Les hommes demeurent une question d'interprétation. Pourquoi jure-t-elle à Gilles qu'elle le suivra, qu'elle l'aimera dans cent ans, dans mille ans? Gilles affirme qu'il fait beau, qu'il fait chaud. Il ajoute en la serrant contre lui:
— Ma fleur, ma rivière, mon oiseau.

C'est vrai, c'est ce que Diane n'a pu dire durant des mois: l'étendue des êtres dévore l'horizon sans fin. Lentement elle se couche dans les yeux de Gilles. Il déclare d'un trait qu'il est célibataire, âgé de trente-six ans et né à Genève, où il garde un soupçon de famille; il a exercé de nombreux métiers un peu partout, dans le monde réel. Diane remarque le grain de beauté au-dessus de la lèvre supérieure de Gilles, la cicatrice sous son œil gauche, les plis creusés sur son front et ses sourcils embroussaillés. Il y a une foule de détails sur un visage, et beaucoup de solitude. Gilles hoche la tête. Il lève ensuite les yeux vers le ciel. Il se gratte le front. Des mouvements fourvoyés dans un corps définitivement planté dans l'absence de tous. Elle étreint Gilles à cause d'un amélanchier qu'il lui montre en chuchotant:

— Vois-tu?

Chaque jour, c'est pareil, chaque jour, la prisonnière aux mains tremblantes s'insinue en elle. Le bruit cadencé d'une cuillère sur la planche d'un banc. La robe rouge et la valise rouge d'Édith. La tache-de-vin sur la joue droite de Clément. L'amour n'a pas de chance dans le contexte des prisonnières, il manque d'air. Demain, elle se confiera à Gilles. Trop de détails se sont mis à courir dans sa tête. La musique de Mozart, la voix des gens ne disparaît jamais complètement en elle. Diane entend Gilles qui demande:

— Ça ne va pas?

Peut-être réussit-elle à sourire en murmurant qu'elle se sent vraiment très bien mais qu'elle préférerait être seule aujourd'hui.

Les yeux mènent sûrement une double vie quand ils regardent l'autre partir, quand ils se surprennent à espérer que l'autre fasse demi-tour.

CHAPITRE 2

Terminés, le trois mai, les soupçons de famille. Gilles froisse le télégramme que lui a envoyé une cousine éloignée. Sa mère est morte à dix-neuf heures, hier soir.

La vie de sa mère ne lui a jamais semblé un fait accompli. Elle marchait en assourdissant le bruit de ses pas, ne mettait pas de souliers et, le plus souvent, portait deux paires de bas; elle parlait peu, posant toujours la main devant sa bouche afin d'étouffer sa voix. Elle ignorait les jours de la semaine, elle ignorait les membres de sa parenté qu'elle n'invitait pas chez elle. Elle n'avait eu qu'un enfant, qu'elle avait élevé dans cette ignorance des jours de la semaine, de la parenté et de l'homme qui avait été son père. Gilles ne sait pas s'il se rendra à Genève.

Il va réfléchir pendant que les pompes funèbres s'occupent de sa mère. On la lave, on la maquille, elle qui n'aimait pas souligner sa présence de parfums, elle qui n'aimait pas d'ailleurs souligner sa présence d'aucune manière. On lui appliquera du rouge sur les lèvres, du fard sur les joues, du mascara sur les cils. Pour la première fois de sa vie, le deuxième jour de sa mort, son absence sera soulignée par des teintes, du parfum et un sourire, que ne manqueront sans doute pas de lui donner les croque-morts. Gilles désirerait surtout vérifier s'ils lui auront mis des souliers. Quelle heure est-il? Possiblement l'heure du sourire, du mascara. Assurément, il sera en retard au rendez-vous avec Diane.

Gilles salue la jeune fille assise sur un banc, devant le cerisier de Mahaleb. Elle et lui, aujourd'hui, sont orphelins: elle a perdu son visage à la naissance; il a perdu sa mère depuis longtemps même s'il ne l'a perdue qu'hier, dans le monde réel. Diane se tient très droite dans le monde des amélanchiers. Il l'embrasse, elle est vivante de la tête aux pieds, tellement fleur, tellement rivière et oiseau. Il parle plus fort que d'habitude. Il rit plus fort que d'habitude. Ses souliers crissent sur l'herbe. Il s'arrête, colle son oreille contre la poitrine de Diane: il écoute le bruit de sa vie. Ce jeudi, le cinquième jour de la semaine, le quatrième jour du mois de mai 1989, les yeux de Diane changent de couleur avec les secondes, se faisant verts pour des feuilles d'arbres, se faisant gris pour des vaguelettes sur l'étang. En général, il attend quelques minutes avant de se prononcer. Rester du côté de la vie ou partir demain à Genève.

Diane affirme que c'est une question d'heures. Gilles, surpris, l'observe. Solange, la Fiancée, Katherine Fay, Corinne Wersan et la Liberté fleuriront bientôt; c'est vraiment une question d'heures, selon Diane, les pivoines et les iris gravides délivreront des inconnues encore prisonnières du silence.

En général, il ne parle pas si fort, si rapidement. Faire défiler des phrases qui formeront un cortège mortuaire. Il doit enterrer un visage maquillé par des croque-morts. Un oiseau siffle, un crapaud sautille près du marronnier d'Ohio, il va peut-être pleuvoir en fin d'après-midi. Pourtant rien dans le ciel n'annonce de la pluie, et son corps à lui n'annonce que le beau temps. Il persiste à répéter qu'il pleuvra peut-être cet après-midi. Puis il se tait: la situation lui échappe, son corps se déroule autour de lui, une invraisemblable, une longue écharpe suspendue aux branches du chêne fastigié, devant eux.

Cela se produit toujours ainsi, d'abord une longue écharpe, ensuite le vertige des violons dans une salle de bal; il danse alors que le plancher se dérobe, il danse sur la mer, entouré de mille mouettes plongées dans l'éphémère beauté du ciel, il danse avec des jambes que lui emprunte la légèreté, cela se produit toujours ainsi quand l'être en lui s'attendrit. Chaque fois, il ne sait pas ce qui va lui arriver, il risque de se noyer dans ces impressions-là ressemblant terriblement à la mer.

Il fait beau, il fait chaud. La seule façon de revenir ici, dans le jardin, c'est de croire en des banalités, en des gestes simples, en n'importe quoi. Il croit en cette minute fastigiée, passée avec Diane sous le chêne. Certainement, cette minute rend le temps présent, elle rassemble les précédentes et forge avec elles un gigantesque feuillage de minutes s'élançant vers le soleil.

Diane veut lui confier quelque chose, elle hésite et fait signe que non; il s'agissait d'un détail sans importance. Il s'éloigne, elle le rattrape, il se remet à rire et à parler, à faire le plus de bruit possible. Il salue de nouveau l'orpheline de visage. Il serre l'épaule d'Édith, l'épaule de Clément.

La vie, c'est comme ça, une femme couverte d'un tissu vaporeux et fragile, de la tête aux pieds. La vie, c'est une femme qui gémit dans un lit. Gilles mordille l'aréole des seins de Diane; il enfouit son visage entre les cuisses de Diane. C'est doux, c'est mouillé, c'est vibrant, c'est une amande qui roule sur ses lèvres, se gonflant, se tendant, se durcissant et tressaillant, une amande troublée, coulant sur ses lèvres. Il lèche, il suce le vertige de la peau, le vertige des violons dans une salle de bal, il lèche une femme qui danse sur la mer, entourée de mille mouettes plongées dans l'éclat éphémère du ciel. Cette femme l'appelle «mon cœur, mon ange», il l'appelle «ma fleur, ma rivière, mon oiseau». Il mord, il griffe la peau qui pleut autour de lui, la peau qui vente, frissonne, la peau, la mer, la rugissante douceur et rien n'est plus beau que cette passion de la peau pour le vertige, rien n'est plus beau que des hanches emportées par un mouvement fou, chancelant dans le cri écumeux poussé par la mer, par le ventre, ailleurs où des étoiles se confondent avec des mouettes.

Gilles étreint Diane. Il croit que la peau change de saison en un instant, il croit qu'elle intercepte des ombres.

Gilles touche le mur qui n'est pas une métaphore; lui, il se trouve du côté des métaphores, même en amour. Il y a des violons, il y a la mer, il y a le risque de retomber en enfance, en ce territoire glissant où un chat, une étoile suffisent à le faire basculer dans l'immensité. Il voudrait dire à Diane que les chats murmurés par une enfant peuvent contenir l'immensité. Il voudrait dire qu'il n'est que tout cela, des chats, des métaphores occupées à masquer la douleur de vivre à l'intérieur de soi-même.

Il essaie de sourire et examine le plafond. Il n'est qu'un homme comme tous les autres levant les yeux vers le plafond. En cas d'amour ou de mortalité, cela se produit toujours ainsi, ses contours n'ont jamais été très bien définis et il ne parvient plus à exister en particulier, il devient une foule, il s'égare dans cette foule, il n'est plus qu'un homme en général. Le défilé de toutes sortes de gens en lui, il y est habitué.

Diane a préparé du café. Gilles n'ose pas la regarder. Il avale une gorgée de travers, s'étouffe, renverse sa tasse. Gilles reconnaît à voix haute qu'il est dépassé par la situation, qu'il aime Diane et qu'il n'a aimé personne à ce point. Il fera beau, il fera chaud demain. Diane et lui iront au jardin.

Tous les hommes qui l'habitent se penchent avec lui pour essuyer le liquide répandu sur le plancher. Oui, il n'est que tous ceux-là probablement occupés à proclamer le fait que c'est difficile de vivre à l'intérieur de soi-même. L'amour et la mort abordent n'importe qui, ce sont des généralités taillées sur mesure pour tous ces hommes-là redisant avec lui n'importe quoi. Oui, demain, il s'attend à une belle journée, au soleil, peut-être à un peu de brise, une journée sans vertige, il s'attend à des hirondelles qui trissent et à des crapauds qui sautillent sur l'herbe.

Diane l'oblige à se taire en l'embrassant. Elle a faim; elle désire absolument manger un beignet dans un restaurant ouvert vingt-quatre heures par jour. Lui aussi est ouvert, vingt-quatre heures par jour, à des situations qui le dépassent.

Il hoche la tête dans ce restaurant où Diane et lui sont attablés: il a encore renversé son breuvage. Il se demande durant cette cinquième nuit de mai quelle allure a sa mère, maintenant que sa toilette est terminée et que les croque-morts lui ont donné un sourire et une paire de souliers, quelle allure a Genève qu'il hésite à revoir.

***

Vraiment heureuse. Dix jours d'affilée, Gilles et Diane se sont enfermés dans le contexte de la chambre. Ils ont dérivé si longtemps l'un dans l'autre que c'était manière de saluer l'inconnu, elle était forte, elle était radieuse, elle ne trompait plus les choses qui se déroulaient naturellement, dans leur totalité. Sur les murs et au-dedans d'elle-même, tout était profondément vrai.

Il y a entre Gilles et les tasses de café une incompatibilité certaine; Diane enlève la nappe tachée et pose des napperons sur la table. Ils remontent le boulevard Pie IX et, sûrement, il y a une incompatibilité entre Gilles et les réverbères, il se heurte à deux d'entre eux. Ce que Diane voit ensuite, au bois des lilas, l'éblouit; une lumière sauvage et blanche coule sur les hanches dansantes de Marie Finon, une lumière sauvage et mauve inonde le corps clandestin de madame Casimir Périer.

Gilles tire Diane par la main, ce n'est plus un inconnu, elle connaît de nombreux détails sur son visage, sur sa peau et, sûrement, elle ne rêve pas: au feuillage des sorbiers, des cerisiers et des poiriers, s'accroche la beauté, longtemps demeurée dans l'obscurité. Au printemps, la terre fait des folies, au printemps, la terre dégèle et de la très longue nuit qu'elle a passée avec l'hiver, se met à sortir un cri qui s'échappe des fleurs, le long du ruisseau, un cri qui déborde de la matière et se suspend, rose, mauve, bleu et orangé dans la tête chancelante des iris et des pivoines, un grand cri rauque poussé dans un grand jardin. Vraiment heureuse, il y a longtemps que la beauté ne s'était pas déclarée à elle, la vérité, la beauté.

Diane ne rêve pas, c'est bien Édith qui l'accoste. Elle reconnaît son habituelle robe rouge et les bracelets, autour de ses poignets, qui s'entrechoquent, créant une multitude de rumeurs. Édith lui tend une photographie sur laquelle une fillette colle un bouquet contre sa poitrine:

— C'est moi quand j'avais cinq ans.

Diane ne rêve pas, c'est bien elle qui embrasse Édith, qui fouille dans ses poches et qui lui offre une pive de mélèze. C'est elle en réalité, c'est elle en oiseau, en fleur et en rivière sur les lèvres de Gilles qui lui flatte l'épaule.

Clément retire de la valise un béret, un soulier, un foulard et des billes qu'il a ramassés avec Édith, cet avant-midi.

— Pourquoi? demande Diane.

Clément ne répond pas. Son doigt contourne machinalement la tache-de-vin sur sa joue, il réfléchit. Puis, il interroge Édith:

— Est-ce que?...

Celle-ci bégaie en invitant Gilles et Diane à s'asseoir près d'un saule de Farges. Clément commence à raconter:

— Je suis né à Baie-Comeau, sur la Côte-Nord, il y a de ça quarante-neuf ans. À partir de l'âge de quatorze ans, j'ai suivi l'exemple de mon père qui chassait en forêt l'ours et l'orignal.

Gilles dessine des lignes circulaires, peut-être une tasse, sur le tronc du saule. Clément s'interrompt. Ils entendent le martèlement d'une cuillère. Diane sourit à Gilles, elle se trouve vraiment ici, vraiment quelque part, tandis que Clément chuchote que c'est irréfutable, il chassait l'ours et l'orignal, il entreposait des fourrures et des peaux dans un hangar sans les vendre. Clément n'entretenait de rapports avec personne, à Baie-Comeau, à cause de sa tache-de-vin. Le doute, quelquefois, se réfléchit tellement en vous-même qu'il adopte une couleur, une forme précises mais le temps vous manque pour le rencontrer. Trois ans auparavant, ça lui était finalement arrivé, il n'avait pu éviter le doute éparpillé dans une forêt par la poudrerie.

La neige tombait en rafale du ciel, recouvrait le sol et les épinettes avalées et tordues par le noroît. Oui, les épinettes se débattaient, elles se dévêtaient d'elles-mêmes, leurs branches craquaient et plusieurs s'effondraient. Il devait marcher, le froid lui engourdissait les jambes, il devait marcher dans ce doute de la terre sur laquelle, au printemps, il y avait eu de l'herbe, où actuellement la neige avait remplacé l'herbe. Enfoncé jusqu'à mi-cuisses dans un silence si blanc qu'il en devenait noir, Clément devait fermer les yeux trop brûlés par le feu de la neige. Enfoncé dans sa peur, il devait marcher, se battre avec le noroît, se plier, se relever, s'agenouiller, puis il devait recommencer, avancer dans le noir, dans le blanc de la neige sans fin. Il s'était arrêté, il avait mordu les doigts de sa main gauche ankylosée. Avait regardé derrière lui. Cette terrible absence creusée par ses jambes derrière lui. Son corps n'avait laissé que du silence dans la neige.

Peu après, il était venu s'installer à Montréal, à proximité du jardin. Il ne pouvait plus rester seul à Baie-Comeau, seul avec cette idée que le corps ne laisse que du silence dans la neige, et probablement partout ailleurs. Depuis, il s'était accroché l'âme à un espoir: la condition humaine est au début une condition ronde. Le silence devait tirer son origine du corps même. Il avait observé les gens durant deux étés au jardin; les gens ne cessent de quitter leurs gestes, leurs mots et les objets qui leur sont familiers; à la longue, l'oubli s'empare d'eux.

Diane fixe ses doigts. L'histoire de Clément l'émeut. Les paroles, à l'instar des roses, disposent du pouvoir de réveiller des liens habituellement cachés, des secrets habitant l'inconnu. Clément se lève. Il poursuit, continuellement, l'ermite qui a perdu une jambe dans la tempête, avant de se réfugier à Montréal. Édith et lui glanent ici des objets égarés, en quelque sorte, de la vie oubliée. C'est simple, c'est irréfutable, ils n'ont qu'à s'incliner et à la cueillir. Sur leurs lèvres, un sourire naïf.

On ressent parfois une blessure en examinant un sourire naïf sur des lèvres qui rêvent dans l'immensité d'un homme et d'une femme en quête de l'impossible. Diane fixe ses doigts de fleur, de rivière, de chat. Gilles la serre contre lui. Elle l'aime pour la vie, une condition ronde, une condition oubliée. Il y a longtemps que la beauté ne s'était déclarée à elle.

— À de-de-demain.

Les expressions usées sont traversées par l'incertitude lorsqu'elles franchissent la bouche d'Édith. Elle repart avec Clément.

Gilles répète qu'il est dépassé par la situation. En général, les individus rêvent tout bas. Diane se sent aussi dépassée par une situation différente, par ces étangs de lumière irisée, le long du ruisseau. Saluer Katherine Fay, Corinne Wersan. L'importance du monde, l'importance de l'autre qu'elle touche. Pourquoi tant de noms, mon cœur, mon ange, ma voix, mon amour, pour demander l'autre? Pourquoi des averses coulent-elles des pommetiers, pourquoi tant de frissons roses, mauves et blancs sur les ramures des pommetiers? Cela ressemble à une symphonie de Mozart.

Elle est complètement heureuse. Tout est profondément vrai, elle presse entre ses mains le visage de l'autre, elle tient entre ses mains l'importance du monde. L'autre suppose toujours qu'il fait beau, qu'il fait chaud. Elle l'appelle son vent doux, son soleil fou. Elle ne sait plus ce qu'elle avoue: elle entrevoit les racines des choses qui se rencontrent à lointaine altitude; à cet instant, elle ne se méprend pas, les racines des arbres mènent sûrement une double vie, elles se croisent dedans les branches mouillées de fleurs, elles courent dans les airs, elles s'étreignent dans la chair bleue du firmament. L'autre rit; et l'autre ignore combien elle le devine soleil et vent quand il rit. Il ressemble à Mozart quand il rit. Il y a des milliers de façons de nommer la vie. Un jour, elle le lui dira, la vie ne porte pour elle qu'un nom, celui de Mozart.

***

Diane dort encore. Avec sa jambe gauche repliée sous sa jambe droite, avec ses bras noués autour de sa nuque, elle s'apparente à une enfant conçue par la fragilité. Il ira lui-même acheter la rose. Auparavant, il se dirige vers une boutique de la rue Ontario. La vendeuse paraît ne rien comprendre. Il cherche une robe magnifique. Elle veut des précisions sur cette robe pendant qu'il ne veut pas renverser la tringle métallique où sont suspendus des vêtements mais déjà, c'est un fait accompli, il s'excuse, il est prêt à payer le prix de cette robe qu'il ne peut imaginer sans étoiles. Cent, trois cents dollars, il aligne des billets sur le comptoir, il en échappe deux, il insiste, des étoiles. Il hoche la tête, il transpire, la vendeuse hausse les épaules. Un illuminé, un touriste, doit-elle penser.

Il met la rose dans le vase en porcelaine sur la table du corridor. Enlève ses souliers, marche sur la pointe des pieds jusqu'à la chambre. Diane dort encore. Cette robe magnifique, verte avec des étoiles brodées sur la jupe ample, un ciel de nuit qui descendrait se coucher sur l'herbe! Il soulève légèrement Diane. Prend d'infinies précautions en introduisant ses bras dans les manches et en ajustant le corsage sur sa poitrine. Il attend quelques minutes. Elle se retourne sur le côté droit, ouvre les yeux, les frotte, les referme et les ouvre à nouveau.

— Qu'est-ce que ça signifie?

Qu'il est né d'une propositon de l'inexactitude, qu'il a été élevé dans l'ignorance des jours de la semaine, qu'il aborde le temps, ce tissu translucide qui recouvre l'espace comme une peau.

Gilles attire Diane contre lui et l'invite à danser, ce mardi, le troisième matin de la semaine, le seizième matin du mois de mai. La chambre, le salon et la cuisine sont une salle de bal où il parle à Diane de la mer si bleue parfois, si écumante de songes ouatés, de fureur et de vert. Ils partiraient ensemble, bientôt, ce soir ou demain, à l'aube. Ils iraient écouter cette musique que module la chair en haute mer, là où le rivage se dilue dans le souvenir. Diane le soupçonne d'être son vent doux, son soleil fou. A-t-il bu? A-t-il mal dormi? A-t-il perdu la raison? Non, il est particulièrement joyeux. Il effleure le front, les joues et le nez de Diane; il reprend le bras de Diane, entoure sa taille. Il valse avec elle sur le plancher mouvant des vagues, il l'enlace plus fort afin de ne pas la perdre car il pourrait tout perdre, car il pourrait, dans un instant, s'égarer dans la foule qui le fréquente, cela se produit toujours ainsi, en cas d'amour. Il veut se taire. Il croit qu'il fait beau, qu'il fait chaud, il croit qu'en général, ses mots ne voient jamais le jour. Il veut se taire sans que cesse de tourbillonner le flot des mots sur ses lèvres. Il murmure à Diane comment elle est jolie, comment le peuple des mouettes neige sur son visage, comment le cœur se sent seul, à l'étroit entre les parois rocheuses d'un cap agrippé au fond de la mer, il murmure que, c'est bien entendu, il ne sait plus ce qu'il dit. Il va probablement se noyer. Il hoche la tête. C'est bien entendu, il danse avec elle dans l'immensité troublée, il sourit, il ne sait plus ce qu'il dit, il l'aime à la folie, il l'aime à en délirer. Diane frôle la cicatrice sous son œil gauche, Diane l'aime à la folie. Ils sont deux soleils fous. Elle chuchote:

— C'est la première fois que tu m'en apprends autant sur toi.

Elle lui promet qu'ils iront au bord de la mer. Plus tard, à la fin du mois d'août. Ils vont maintenant se changer et se rendre au jardin. Non, pas maintenant. Gilles veut se reposer quelques minutes, il va s'allonger sur le lit. Diane en profite pour balayer la cuisine.

Combien d'hommes meurent à la guerre? Combien de femmes et d'enfants errent sur les routes avec un corps occupé par des circonstances qui leur coupent les bras, les jambes avec une effrayante exactitude? Il n'a pas connu la guerre, la vraie, mais il se pose les questions courantes en temps de guerre. Du temps ignoré, il ne conserve que l'idée de la guerre. C'est comme ça, il a peur. Cela se produit toujours ainsi quand il est heureux, il n'arrive plus à exister en particulier. Il se retrouve nulle part, cette chambre, c'est nulle part. Il n'a pas trente-six ans, il n'a pas vécu à Genève. Il n'a pas de famille. Il croit qu'il fait beau, qu'il fait chaud. Et il sait très bien qu'il n'achète pas d'habitude de robe verte, qu'il ne danse pas d'habitude, qu'il ne se prononce pas d'habitude et que les mots s'effacent à condition de les repousser, ceux-ci n'ont pas réussi à se creuser une place dans le monde réel. C'est bien entendu, il demeure un fait mal accompli, aux contours indéfinis: il n'en demande pas plus aux jours de la semaine. Diane entre dans la chambre et suspend à un cintre une robe qu'il n'a jamais vue.

***

Clément fait signe à Diane et à Gilles de s'approcher. Les nombreux bracelets d'Édith tintent alors qu'elle fouille dans la poche gauche de sa jupe. Elle en retire une photographie qu'elle montre à Diane:

— C'est moi quand j'avais six ans.

Édith, la nuque penchée, scrutait un bouquet, peut-être des roses collées contre sa poitrine, quand elle avait six ans. Diane remet la photo à Édith, elle réfléchit et cherche ce qu'elle doit déclarer dans ce contexte.

— Tu étais mignonne.

Clément dont le pantalon gris dissimule une jambe de bois prie Diane et Gilles de partager avec eux des croissants. Après le déjeuner, il exhibe avec fierté les objets recueillis et rêve à voix haute. C'est irréfutable, un ventre de femme, c'est plein de vie ronde. Le problème, le silence, vient de ce que le temps ne se mêle pas de ses affaires, il se mêle à la vie et la conduit vers son achèvement. L'index de Clément, pointé à la verticale, s'agite à plusieurs reprises, et tente vainement de confirmer à quel point c'est irréfutable, le cortège des journées sans retour:

— Dès la première seconde de sa deuxième journée, un enfant a déjà été dépouillé d'une journée entière et de ce qui s'y est manifesté. À dix ans, à trente ou à cinquante ans, imaginez-vous la quantité incalculable de mots, de gestes et d'objets qu'on a définitivement quittés? Les mots ne reviennent pas. Les gestes se détachent de nous et ne reviennent pas non plus. Les objets sont soumis à un destin identique: on oublie un parapluie chez un voisin, on oublie une paire de lunettes dans un restaurant. Quand la mort accoste quelqu'un, elle découvre qu'il a déjà tout déserté. Elle ne peut pas s'arrêter. Si la mort avait étreint la vie ronde, une seule fois, elle n'aurait pas eu cette volonté de coudoyer tant de gens.

Clément et Édith vont poursuivre leur entreprise dans l'érablière. Diane essaie de les retenir en bavardant: lorsqu'on rêve, dans le domaine du possible, les gens risquent de vous faire prisonniers, de vous dévêtir, de vous habiller d'une jaquette d'hôpital. Elle s'en rappelle, elle résidait dans le domaine du possible, avant l'hôpital.

— Tu ne dis rien?

Gilles ne répond pas. Elle a l'impression qu'il s'est vraiment éloigné avec Édith et Clément, même s'il est demeuré assis près d'elle.

— Tu ne dis rien?

Gilles sursaute. Il semble se réveiller, il se tourne lentement vers elle.

***

Il fait beau. Il fait chaud. Gilles dit l'eau bleue de l'étang, l'herbe verte, les goélands aux ailes tachetées de gris. L'inquiétude le paralyse.

Ce matin, il a acheté une robe, il a dansé avec Diane dans la cuisine, dans la chambre, dans le salon, il lui a glissé à l'oreille des secrets qu'il aurait dû garder pour lui, cela n'a pas de sens, cela se produit toujours ainsi, il ne garde rien pour lui, pas même lui, qui doit ensuite s'accrocher au restant de l'humanité, et il saisit clairement ce que cela renferme, le restant de l'humanité: des défilés, des banalités, rien. Rien d'autre que la sensation de tenir debout par procuration, grâce à la foule de ceux qui s'entassent en lui, malgré lui.

Gilles ramasse machinalement un canif, le range dans la pochette de sa chemise. Cela n'a pas de sens, un cœur serré, une gorge nouée, une bouche sèche et appuyée sur la peau lisse d'un amélanchier. Puis, il voit les fleurs de l'arbre, il voit s'allonger sur les branches de l'amélanchier japonais, des doigts d'une blancheur infinie, des doigts qui brilleraient à la façon des étoiles là où on ne les attendait plus, dans une main égarée sur une route nocturne, une main abandonnée par une enfant dont le corps errerait dans des contrées brumeuses. Il reconnaît la vie.

La vie disparaît durant des années et, sans prévenir, réapparaît dans le feuillage d'un amélanchier, elle se met à rire et à fredonner la Symphonie 41 et à l'appeler son soleil fou. Il aime Diane, il le répète, il l'aime autant qu'il a aimé les platanes bordant la rue des Vollandes, à Genève. La situation lui donne le vertige. Il enlace Diane. Il prononce des formules très usées, dans lesquelles se balancent l'univers et l'éternité.

Diane l'interrompt:

— Qu'est-ce que ça veut dire, «je t'aime»?

En général, «je t'aime», ça veut tout dire, les violons, la mer, les platanes, les iris et les orphelins de visage.

***

Sur les murs de la chambre, se rencontrent les racines des choses, les paumes jointes des ouvriers et de la matière.

Diane les observe. Concevoir la chambre, le lit, le portrait de Virginia Woolf sans Gilles, concevoir les soirées et les nuits, sans lui, appartient à l'impossible. Elle se salue dans le miroir, elle ne joue pas, elle salue l'étrangère du miroir, en se contentant de courber la nuque. Gilles n'a pas remarqué son geste. Il la déshabille.

Sa tête roule sur l'oreiller. Gilles l'embrasse, les doigts de Gilles ventent sur sa poitrine, sur ses cuisses, sur son clitoris tandis qu'elle mord l'importance du monde lovée dans les épaules, dans les mamelons, dans les détails magnifiques d'un homme qui sourit de partout. Sa chair rafale de lumière, d'algues, d'ancolies et de flammes vibrant sur les vagues d'un pays sauvage, sa chair s'en va, sa chair fonce dans l'état de la beauté et de la fureur déchaînées. Elle ne sait plus en quel instant, en quelle terre elle défaille. Ses lèvres d'algues, ses lèvres d'ancolies et de flammes. Ses lèvres de douceur et de tempête. Elle chavire dans un cri.

Un prénom peut vous toucher, peut venir vous parler, vous boire, comment un prénom peut-il charrier votre âme sur le bout de vos jambes, de vos cuisses, de vos lèvres? Gilles, son lièvre, sa marmotte, son soleil fou, son papillon et son ours polaire dont elle effleure les cheveux, et qui la nomme son chat, son oiseau.

Las, ils se taisent. L'heure trouve des manières mauves, des mouvements ralentis et moelleux, juste palper un front, presser un genou, caresser la tissure d'une hanche.

Le matin, Gilles pose des questions. Chaque jour, c'est pareil, il demande des précisions sur le moment, sur la nécessité des roses et sur ce qu'ils accompliront ensemble. Ils iront sûrement au jardin. Dans le contexte de la chambre, l'horloge l'indique, neuf heures cinq par un dix-sept mai inconcevable sans lui. Son pantalon, sa chemise et sa veste traînent sur une chaise; il s'obstine à ne pas les ranger dans la garde-robe.

Gilles se heurte à un réverbère. Il murmure qu'il fait beau pendant que lui et Diane arpentent l'allée centrale conduisant au ruisseau. Vraiment, profondément heureuse.

Une nuée d'hirondelles aux contours frémissants traverse le ciel, y dessine la forme d'un losange remplacé aussitôt par celle d'un hexagone dont la périphérie frissonne et se transforme en triangle, à cette minute-ci. Une nuée d'hirondelles distribue au ciel et aux minutes des milliers de possibilités. Diane s'accroche à la veste de Gilles. Parfois Mozart se fait trop grand, parfois Mozart se redresse dans le cœur qui se met à battre trop vite. Des rivières de fleurs, des rivières de couleurs éperdues à tant se frôler dans la soie de leurs déplacements légers flottent sur les branches des lilas, des pommetiers, des aubépines et des cerisiers. Gilles la regarde et chuchote:

— La vie, c'est comme ça.

Ils atteignent le ruisseau où se prolonge l'histoire des inconnues. Qu'un iris puisse s'appeler Katherine Fay,

Solange ou la Fiancée, qu'un iris puisse être plante dans un jardin, femme dans une cuisine, une chambre d'hôtel ou un cercueil, le dépayse et amplifie démesurément son identité, sa solitude. Diane rit. Gilles la prend dans ses bras, la prend pour beaucoup d'autres: une écharpe, un chat, un violon, elle rit, elle pénètre peut-être chez beaucoup d'autres dans le temps et dans l'espace profondément vrais. Lui, il ressemble surtout à un petit garçon. Diane fouille dans ses poches et en retire une poignée de pives de mélèze qu'elle offre à Gilles.

Édith et Clément les ont rejoints dans le bois des bouleaux. Ils n'ont pas vu passer l'après-midi. En fait, ils se sont vus passer en plein milieu du bonheur, parmi des chênes, des marronniers, des arbres d'ici et d'ailleurs. Gilles remet à Clément un sac qui contient une balle, un carnet d'adresses, une bouteille vide et un manuel scolaire. Clément les remercie et les invite à déjeuner le lendemain. Édith tend une photographie à Diane:

— C'est moi quand j'avais huit ans.

Diane ignore ce qu'il faut répondre à Édith.

Puis, elle croise le regard égaré de Gilles. Elle ignore pourquoi l'on peut tomber si rapidement dans l'inconnu. Gilles tient dans ses mains un oiseau inerte et il hoche la tête en répétant: «La mort, c'est comme ça.» Pourquoi un ciel découpé en morceaux d'inquiétude? Pourquoi un ciel noir? Tantôt, le ciel était hirondelles déployées, tantôt, le ciel chantait. Pourquoi Gilles s'enfuit-il avec l'oiseau contre sa poitrine?

Diane le rattrape. Elle tâte son visage, il y a en lui des détails qu'elle connaît, un grain de beauté, une cicatrice, il y a en lui des détails qu'elle ne connaît pas. Il ne cesse de dire qu'il n'a pas trente-six ans, qu'il n'est pas né à Genève. Diane le secoue:

— C'est simplement un oiseau!

Il fait froid, il doit s'en aller, il doit partir, il la repousse, il dit que ça n'a pas de sens, la mort, c'est toujours comme ça.

Diane déambule, effacée de la face du monde, dans le jardin sans lui, dans Montréal sans lui. Elle se cogne à des hommes ou à des femmes. Elle respire avec difficulté. Sa pensée l'oblige à marcher. Sa pensée l'oblige à rentrer. Des heures, étendue sur le lit, des heures à l'attendre dans la chambre. Elle n'est plus rien. Elle n'arrive pas à dormir dans la chambre inconcevable. Tout, le lit, la nuit, est inconcevable sans lui.

CHAPITRE 3

Gilles dépose ses vêtements sur la chaise. Les murs ne portent pas de traces, aucune gravure, aucun calendrier, rien qui puisse suggérer qu'il ait occupé durant trois mois cette chambre louée à la semaine. Il louerait bien sa vie à la semaine, il éviterait les rencontres avec des oiseaux lui rappelant une enfant. Il s'assoit dans la garde-robe vide. Il ne doit pas penser à cette enfant jetée hors d'elle-même. Il doit penser à autre chose.

Oui, autrefois, sa mère marchait dans la maison, d'un pas étouffé. Autrefois, il se cachait dans une garde-robe avec une lampe de poche et une feuille posée sur un cartable, et il s'entêtait à écrire cette phrase: «Le ciel très inquiet étendait sa main énorme composée de doigts de cristal; les étoiles se déroulaient ainsi, dans le corps obscur du ciel, en allumant un feu pour qu'enfin, la terre les aperçût.» La nuit, sa mère ronflait et c'était le bonheur. Oui, il n'y avait pas encore eu, dans sa vie, cette enfant morte, oui, il doit penser à autre chose, oui, autrefois, la nuit, c'était le bonheur. Il se glissait en dehors de la maison, il se promenait dans la rue des Vollandes, dans la rue des Eaux-Vives et bifurquait vers Carouge. Tout lui appartenait. Tout ce qu'il voyait. Les femmes et les platanes ressemblaient à de longues lianes vacillantes; les femmes enveloppées de nuit riaient à gorge déployée. Peut-être parce que le ciel abandonnait sur leurs épaules un magnifique voile sombre piqué d'étoiles.

Oui, il se souvient, c'était le bonheur, c'était le monde du cristal. Tout ce qu'il voyait prenait une nouvelle contenance. L'Arve n'était plus une rivière, elle devenait une écharpe cousue avec les vagues des mots remuant dans l'immensité du ciel; il n'était plus un garçon de sept ans, il devenait un homme, un géant se dressant afin d'effleurer la couleur translucide des mots car, dans le monde du cristal, les étoiles n'étaient plus des étoiles, elles devenaient des mots qu'il pouvait toucher en murmurant: «La vie, c'est comme ça.»

Quand le jour revenait, Gilles reprenait le chemin de la maison. Il refermait la porte avec d'infinies précautions, se déshabillait et se recouchait dans les draps défaits. Le jour n'était pas libre dans la maison bordée par les pas étouffés de sa mère.

Quelle heure est-il dans le monde réel, dans cet appartement où Diane accroche des traces d'elle-même sur les murs? Il a quitté sa propre chambre sans s'en rendre compte. Il a longtemps marché, il a appuyé son doigt sur la sonnette et il est entré chez Diane sans s'en rendre compte.

Il se pose les questions courantes en temps de guerre alors que Diane palpe son visage et lui demande:

— Pourquoi?

La clarté perce à travers les rideaux. Suivant son habitude, le jour n'est pas libre mais lui, il doit répondre même si le jour ne lui répond jamais.

— Pourquoi? répète Diane.

Sa mère est décédée le trois mai dernier. Il a regardé l'oiseau, il a regardé sa mère, la situation s'explique et il se rassure en donnant des précisions sur cette mère à qui il invente une voix haut perchée, des yeux d'un bleu insoutenable, des souliers roses et verts, des robes pittoresques, oui, il rit, il raconte que cette mère excentrique choquait le voisinage en invitant chez elle toutes sortes de gens, des clochards, des prostituées et des demi-fous qui l'avaient aimée du premier coup. Il se souvient du salon bondé où, la nuit, personne ne dormait, où des dizaines de quidams s'entretenaient d'astronomie avec sa mère. Elle s'intéressait particulièrement à l'astronomie. Un après-midi, elle avait noté une phrase sur une feuille. Il voudrait ne plus parler, cela n'a pas de sens de sortir de soi jusqu'à s'étaler devant soi, elle avait noté une phrase qu'il n'a pas oubliée malgré qu'il n'avait que sept ans.

— Quelle phrase?

— «Le ciel très inquiet étendait sa main énorme composée de doigts de cristal; les étoiles se déroulaient ainsi, dans le corps obscur du ciel, en allumant un feu…»

Il s'étrangle. Il a l'impression de se dénuder. La situation s'explique, oui, il voudrait ne plus parler, ne pas ajouter qu'à cause d'une originale adorant les averses et la brume, il avait passé son enfance, non pas dans une maison, plutôt au milieu d'une phrase où c'était le bonheur.

— Pourquoi n'es-tu pas allé à Genève lorsque ta mère est morte?

— L'image que j'ai d'elle, je tiens à la garder.

Diane estime qu'il devrait se reposer puisque la fatigue lui ferme les paupières. Il s'étend sur le lit. Elle estime qu'il ne devrait pas bouger. Elle essaie maintenant de lui confectionner un vêtement à la mesure de l'été, en éparpillant des pives de mélèze sur ses bras, ses cuisses et son thorax. Elle affirme qu'un matin, elle s'est réveillée dans une salle de bal, avec lui, avec la mer verte répandue sur elle. Elle chante. Elle s'exclame:

— Une question d'interprétation!

Les racines des choses se croisent sur les murs de la chambre et devinent que pour elle, il est beaucoup de soleil et de vent, sûrement le domaine du possible.

Le cinquième jour de la semaine, le dix-huitième jour du mois de mai, Gilles tressaille en saluant avec Diane les inconnues du jardin. Marie Finon, madame Casimir Périer, Solange, Katherine Fay, Corinne Wersan. La nuit, à Genève, il entrevoyait des étrangers. En général, il se retrouvait dans leurs yeux hésitants.

***

À tant les parcourir du regard, Diane se sent parcourue par les iris et les pivoines. C'est beau, c'est surprenant. Puis son visage se modifie et reçoit celui de Gilles. Gilles se trouve en elle, elle se trouve en lui. Cela ne cesse d'être beau, d'être surprenant. Elle fredonne la Symphonie 41. Elle emmêle les cheveux de Gilles. Le soleil danse sur l'herbe, sur l'étang. Il y a des milliers de façons d'exprimer la lumière. Mozart sourit dans le grand jardin. Les prisonnières reconnaissent cette lumière translucide, s'échappant des fleurs, des arbres et des individus longtemps tapis dans la noirceur.

La pluie soudaine les oblige à courir entre les merisiers, les cerisiers; ils traversent l'allée des chèvrefeuilles. Gilles soulève Diane. C'est beau d'entendre le bruit des gouttelettes sur le feuillage d'un bouleau pleureur, c'est beau de s'examiner, la première fois, de rester là, silencieux, à l'ombre d'un bouleau pleureur, de croire que, encore une fois, c'est la première fois. Avoir des yeux et un visage qui tentent l'impossible, le déménagement dans l'autre.

Le soleil s'est remis à danser sur l'herbe. Gilles et Diane se lèvent, ils contournent les bouleaux et descendent la pente conduisant aux chênes. Gilles bavarde. C'est beau, c'est surprenant de coller ses bras et son âme contre le tronc d'un arbre que Gilles vient de baptiser: «le chêne nécessaire». On ne sait plus où l'on va quand on murmure «je t'aime» à un homme qui ressemble à un petit garçon, qui hoche la tête et qui s'émerveille. Il y a tant de détails singuliers dans l'histoire d'un petit garçon: une foule s'intéressant à l'astronomie dans un salon, des souliers verts et roses, une phrase contenant de la nuit et du cristal, tant de détails qui pénètrent en elle, qu'elle ne se possède plus. L'importance du monde n'est peut-être qu'un petit garçon...

Édith, debout près d'un pin Cembro, s'avance vers Gilles et Diane. Sur cette photographie qu'elle leur montre, elle fêtait ses onze ans. Clément l'interrompt; Édith et lui ont rencontré ce matin, une femme âgée de soixante-dix ans, une dame extravagante, qui s'habille à la manière des jeunes filles et qui dit chercher le sens de la vie. Elle s'est présentée à eux en leur confiant que les mains conservaient la mémoire même de la vie. Elle s'appelle Marie Finon.

Diane, paralysée par cette nouvelle, ne parvient qu'à répéter «non». Dans le domaine du possible, elle s'était imaginé des inconnus à qui elle disait bonjour, son existence en dépendait. Dans le domaine du possible, Marie Finon était un lilas. Cette femme ne peut pas exister. Tout est profondément vrai. Tout est profondément faux. La vieille dame, d'après Clément, est encore assise avec l'orpheline de visage, devant le cerisier de Mahaleb. Cela ne se peut pas. Cette femme ne se peut pas. Diane réussit à bouger et à suivre Gilles.

Diane rêve sûrement. Il y a devant elle, la femme inconcevable dont elle touche l'épaule, qui ne rêve pas, qui tressaille en réalité. La femme sourit. Elle s'appelle Marie Finon. Elle a perdu son vrai nom un jour que sa pensée tremblait plus fort que d'habitude et elle s'est précipitée dans le bois des lilas. «Marie Finon», cela sortait de l'ordinaire, elle-même ne supportait pas le poids des choses ordinaires. Elle avait griffonné ce nom sur une feuille. La femme inconcevable étreint les mains de Diane.

— Les mains conservent la mémoire de la vie.

Elle cherche le sens de la vie. Diane l'écoute à peine, la prisonnière en elle l'écoute à peine. Dire Solange, Katherine Fay, Corinne Wersan et Marie Finon, dire dans le silence absolu Evelyn Claar, la Fiancée, dire bonjour à ces inconnues. C'est une question d'interprétation: aujourd'hui, dans le jardin rempli d'allusions, Marie Finon s'est transformée en une vieille dame aux allures de jeune fille. Elle laisse de côté le sens de la vie et revient vers ce nom tout neuf, avec lequel elle est retournée chez elle, ce jour où sa pensée tremblait plus fort que d'habitude. Elle l'a réécrit à des dizaines de reprises avec un marqueur de vêtements, sur l'encolure, sur les manches et sur l'ourlet de ses robes. Elle l'a retranscrit sur du papier. Depuis, elle dépose son nom dans ses poches, elle le porte sur la semelle de ses souliers, elle l'affiche sur les murs de son logement, dans le fond des tiroirs de ses commodes. Voilà, elle n'oubliera plus son nom.

Gilles hoche la tête. La pluie tombe sur eux alors que le soleil brille dans le ciel un peu fou, c'est irréfutable, il rit en le chuchotant à Diane. Clément et Édith se réfugient sous un sorbier. L'orpheline, immobile, fixe sa cuillère. La femme inconcevable est repartie. Gilles et Diane, la nuque renversée, boivent la pluie. Le ciel est un peu fou aujourd'hui, les arbres se sont mis à grandir, Gilles et Diane fredonnent la Symphonie 41 en sautant dans les flaques.

— Mon hirondelle, ma fleur, mon chat, ma rivière.

Oui, c'est beau et surprenant d'aller plus loin que soi, de se transformer en hirondelle, en fleur, en chat et en rivière, quand Gilles lui propose d'être cela. Elle effleure les doigts de Gilles. Elle lui demande d'être la terre, la mer, un lièvre, une marmotte et un cerf. Un instant, elle se souvient d'une prisonnière. Un goéland vole au-dessus d'eux. Elle lui dit:

— Vois-tu?

***

Diane et Gilles descendent ensuite jusqu'à la rue Notre-Dame, ils marchent longtemps avant d'atteindre l'avenue Lebrun. Le fleuve, ils n'y résistent pas, ils se déshabillent et se jettent dans son eau glacée. Ils nagent, puis s'allongent, nus, sur le rivage. Ils sont mouillés et heureux. Ils s'adonnent à l'amour. Ils se bercent en examinant le monde du cristal: le bonheur est une plante qui pousse la nuit, celle-ci s'emplit le ventre de silence et couvre l'horizon d'un voile sombre piqué d'étoiles, d'un tissu d'une mouvante fragilité. Cette nuit, la vie, c'est comme ça, ils entrent dans d'intimes défaillances de la chair tressée par des milliers d'années, d'où remontent des milliers de bêtes qu'ils serrent sur leur poitrine. Diane en est persuadée et lui, avec elle, s'en va sur des routes connues seulement de Mozart.

Diane a des yeux de forêt, ce matin. Elle lui tend la main. Une hirondelle trisse pour eux. Un écureuil se faufile et escalade le bouleau européen, pour eux, seulement pour eux. Elle est persuadée que des petits liens se multiplient et les rapprochent sur les murs flottants de l'univers. Gilles retrousse les manches de sa chemise, se frotte l'épaule; la peau, ce tissu composé d'infinies défaillances, préserve le mystère du corps qui rassemble en une nuit, des milliers d'années.

Diane dit que c'est beau, c'est surprenant, c'est plein de détails singuliers dans le bois des aubépines. Elle touche la chevelure neigeuse des aubépines. Elle entraîne Gilles dans d'autres détails singuliers, la naissance chez les cèdres, cette couleur vert pâle qui se juxtapose au vert foncé. Ils continuent de marcher. Les pommetiers tiennent à bout de bras des rivières roses, mauves et blanches. Ils s'arrêtent: ils ne s'attendaient pas à cette jeune fille, dans le domaine du réel, qui a ôté ses souliers et qui trempe ses pieds dans l'étang. Près d'elle, une femme relève sa robe et enfonce aussi ses pieds dans l'eau. Ils entendent rire l'orpheline de visage. Ils la voient se tourner vers Marie Finon et lui lancer de l'eau. Gilles et Diane sourient comme des enfants. Tout est profondément vrai. Ici, dans ce jardin, tout se réfléchit en eux.

Ils ne se rendent pas compte du défilé des heures.

Gilles invente une histoire. Devenir un oiseau, devenir un chêne nécessaire, devenir un iris. Et être déplacé et se déplacer avec le cœur lourd de la grandeur des choses simples, le cœur élargi par la douce folie des choses éparpillées dans l'immensité. Ils se penchent et repèrent des trésors dans l'herbe. Ils cueillent des pives séchées, des tiges de foin, des pissenlits, ils bourrent leurs poches des trésors venus de ces pays qui coulent dans le jardin. Ils s'étourdissent de secrets qu'ils se chuchotent à l'oreille. Ils se mettent à courir, se pourchassent entre les saules et se heurtent à des touristes. Maintenant peut vraiment être maintenant. Il fait chaud, il fait Mozart à l'ombre de l'amélanchier japonais sous lequel ils somnolent.

Marie Finon, accompagnée d'Édith et de Clément, s'est assise à leurs côtés. Pour elle, le sens de la vie est demeuré un inconnu. Elle vieillit, elle a des avant-goûts de délire, elle croit que les mains sont une sculpture modelée par le temps et l'espace qui laissent dessus leurs marques. Elle se moque d'elle, elle croit qu'il y a des rides sur les mains afin de témoigner du temps, qu'il y a cinq doigts dans chaque main afin de témoigner de l'existence de cinq continents dans l'univers.

Marie Finon caresse son nom sur l'ourlet de sa robe. Elle croit que l'univers est si vaste qu'on peut facilement y égarer le sens de la vie. Elle veut aborder poliment cet inconnu, le sens de la vie, en étreignant les mains des personnes se promenant dans le jardin car c'est ainsi qu'on fait connaissance.

Voilà, de pareilles conversions, ce n'est peut-être pas très catholique; les doigts, les continents, la main virée en univers, ce n'est peut-être pas une preuve de logique. Depuis longtemps, elle exagère. Elle est née en exagérant, sa mère le lui a raconté, née avec deux dents et une chevelure abondante. Actuellement, elle a de quoi penser qu'elle retombe en enfance: elle ne dort plus, elle cherche jour et nuit ce qui demeure à tous inconnu. Plus elle s'approche de la mort, plus elle oublie où elle met ses couteaux et ses fourchettes, elle a de graves problèmes de mémoire; sa mémoire se vide doucement et suit l'exemple de son corps. Elle écrit sur une feuille le prénom de ses enfants et de ses petits-enfants. Elle écrit son adresse. Elle écrit les moments partagés avec son mari. Voilà, elle veut s'engrosser du sens de la vie et elle leur demande de l'aider. Bientôt, elle n'aura plus d'adresse, elle n'aura ni corps ni mémoire. Bientôt, ce sera fini: elle doit se dépêcher, trouver le sens de la vie.

Marie Finon les observe avec un air suppliant. Elle se lève et leur prend la main. «Les mains conservent la mémoire de la vie, affirme-t-elle; les mains palpent les joues, les bras et les jambes, les mains se rappellent de ceux qu'on a côtoyés.» Une vérité de son âge. Elle sait bien que de telles vérités semblent folles, ce qui ne l'empêche pas de croire que tout peut arriver dans une main, tout, un foulard, un parapluie, un visage, elle croit qu'on peut découvrir un foulard, un parapluie, un visage dans une main.

La vieille femme les implore en silence. Clément

assure que la condition ronde et le sens de la vie appartiennent à la même famille. Diane n'ose rien refuser à une Marie Finon en chair et en os. Gilles, dépassé par la situation, hoche la tête. Ils l'aideront.

***

Gilles se sent indéfini, entre les murs de la chambre. Diane ressemble à cette inconnue surgie tantôt, à minuit, dans le jardin. Ils surveillaient les étoiles; ils s'aimaient et s'en parlaient avec leur peau et leurs lèvres qui frôlaient l'infini. Puis ils l'avaient vue, réellement vue. Une femme aux longues jambes de chêne, aux longues jambes recouvertes d'iris, d'ancolies et de mousse. C'était difficile à admettre, cette femme au ventre palpitant. L'eau des étangs remuait dans son ventre et dégoulinait sur ses cuisses. Éclairée par les étoiles, elle étirait ses bras de bouleau, blancs et crémeux, au-dessus des sorbiers et des poiriers. Sa poitrine soulevée par le vent abritait un champ de détails singuliers, des brins d'herbe et des pissenlits. Diane et Gilles s'étaient interrogés du regard. Ils avaient inventé tant d'histoires, cet après-midi, ils avaient entendu Marie Finon qui discutait poliment avec l'impossible. Ils divaguaient sûrement. Cependant, cette femme immense se dressait et surplombait les arbres. Dans son visage surprenant, deux iris bleus à la place des yeux et un sentier interminable sur ses lèvres. Diane et Gilles ne bougeaient pas. Elle était chaude comme une journée d'été, elle était lumineuse comme une enceinte de cristal dans la nuit, elle se taisait, cela ne s'expliquait pas, elle se taisait et, pourtant, affirmait tout. Sa chair contait que la terre se baignait au loin, au fond de ses souvenirs sablonneux, sa chair contait que la beauté déchirait l'âme, que la douceur s'écoulait, vieille et insensée, dans les maisons de l'âme. Et cela les rendait joyeux et tristes. Non, cela ne s'expliquait pas, cela dilatait les minutes en éternité. Quelle heure était-il pendant l'éternité, pendant que cette femme s'évanouissait, avalée par les apparences habituelles du jardin?

Gilles enlace la taille de Diane. Le matin reviendra, ils se diront qu'ils ont rêvé à minuit. Diane ne cesse de se retourner dans le lit.

Gilles s'est endormi. Bientôt, le matin reviendra. Elle lui dira que le jardin mène une double vie. Qu'est-ce que ça signifie, «mon amour»? Diane caresse la cicatrice sous l'œil gauche de Gilles. Elle colle son oreille contre la poitrine de Gilles, comme une enfant le ferait pour remplir la chambre du battement du cœur de son frère assoupi, et chasser sa peur de la nuit.

CHAPITRE 4

Samedi, ce vingtième jour du mois de mai, Gilles salue le mélèze d'Europe, à l'entrée du jardin. Il ne sait plus très bien où il en est, peut-être à Genève, peut-être à Montréal, sûrement, il est en amour. Il est fou au point de saisir les mains des passants qui se croisent sans s'entrevoir. Ça ne se fait pas. Il s'arrête devant chaque promeneur. Il lui présente Diane, son adorée, puis il repart vers ce qui ne se fait pas, embrasser les joues des vieilles dames. Il ne cesse de parler. C'est bête à dire, il se sent idiot et vulnérable, pareil aux murs d'une chambre déménagée sur un nuage. Les doigts de Diane frémissent en longeant ses épaules, ses bras, ses cuisses, et c'est magnifiquement bête à dire sur sa peau émue jusqu'au vertige. Il ne sait plus très bien où il en est, lièvre ou marmotte, chat ou cerf. Il sifflerait, il bramerait, il miaulerait la beauté du monde tant il ne cesse de redescendre le cours du temps. Il effleure les cheveux de Diane. Il s'accroche à la vie de Diane sur ses cheveux, dans ses yeux de forêt. Il tremble.

Diane murmure que l'existence ressemble à Mozart. Il n'essaie pas de comprendre. Il écoute sa voix nue. Aller au bord de la mer avec elle, demain, après-demain, le plus rapidement possible. Il le lui propose.

— Plus tard.

Il le lui redemande:

— Viviane, pourquoi attendre?

Diane se lève brusquement. Elle n'a aucunement l'intention de s'emprisonner dans le mirage d'une autre amante qu'il a déjà eue et veut retourner chez elle. Gilles balbutie:

— C'est une erreur.

Il la retient en enserrant sa taille:

— Tu fais un drame avec une banalité: ma mère s'appelait Viviane.

Il suffit d'un bouleau de Tian-Shan pour oublier qu'on a pu, un matin, se noyer dans un événement précis. Le feuillage du bouleau invente en ce moment une rivière. Les arbres divaguent, au soleil. Le cœur aussi se précipite dans l'immensité qui avale l'horizon. Gilles et Diane se taisent. Ils ne savent plus très bien où ils en sont. Des enfants perdus dans l'immensité, des lièvres ou des marmottes, des bêtes perdues dans des enfants.

Marie Finon accompagne l'orpheline. «Martine n'avait pas dépassé les étangs jusqu'ici, déclare Marie Finon.» La déficiente, la désobéissante à l'ordinaire des êtres, soulève le bas de sa robe et pointe avec son index une étiquette collée sur l'ourlet. Hier soir, à l'aide d'un fer à repasser et d'un marqueur de vêtements, Marie Finon a identifié toutes les robes de Martine: elle n'en possédait que quatre, du travail vite fait. Voilà, elles vont s'éloigner et se préparer à cette journée extraordinaire: au ruisseau fleuri, dans une heure, Marie Finon va commencer sa quête. Est-ce qu'ils viendront?

— Oui.

Pendant qu'elles se dirigent vers le bois de conifères, Gilles chuchote:

— Ma chérie...

Il a failli se tromper, dire Viviane, revenir vers un événement précis. Il se mord les lèvres. Il a peur infiniment. Il aime Diane infiniment. Et il pourrait encore se tromper.

Il tremble. Il croit que, demain, il partira, il ne distinguera plus rien par le hublot de l'avion. Il croit que le vertige le saisit. Il croit... Diane ou Viviane s'est mise à marcher. Il tente de la suivre mais il tombe. L'herbe noire, l'herbe verte, l'herbe rouge, le sang de Viviane ou le sang des oiseaux coule sur sa chemise, sur son pantalon et dans le ciel effrayant. Il va redresser la nuque et dévisager le ciel où flotte sa petite fille morte. Oui, il l'a aimée infiniment, oui, autrefois, ils riaient ensemble, ils se déplaçaient ensemble dans l'immensité tachée de bleu.

Ce n'est qu'un vertige. Cela lui arrive parfois. Il tombe parfois, quand l'immensité se rapproche de lui. Ce n'est rien. Gilles tente de rassurer Diane. Il lui entoure les épaules, il fredonne la Symphonie 41. Elle chantonne avec lui, elle se presse contre lui. Il ne veut plus croire en ce visage violacé, ces yeux cernés, il n'a jamais vu cette petite fille qui s'égosille à mourir dans le ciel étouffé.

Diane l'interroge à propos de cette mère qui s'intéressait à l'astronomie, cette mère qu'il n'a jamais eue. Il doit inventer des phrases, les bouleaux inventent bien des rivières.

***

Édith brandit une photographie. Diane vient de remarquer que les fleurs tenues par Édith sur chacune des photos ne sont pas des fleurs des champs. Elles sont montées sur des tiges métalliques et leurs corolles, recouvertes de tissu, sont déchirées par endroits, laissant à découvert des arceaux recourbés.

— Pourquoi toujours le même bouquet de fleurs en tissu, sur chacune des photos?

Édith nie d'un mouvement de la main:

— Ce n'était pas le même bouquet.

Clément gesticule. Marie Finon va bientôt mettre à exécution son projet. Elle porte une robe bleu azur. Elle confie Martine, l'orpheline, à Édith et à Clément. Voilà, elle va cesser de bavarder, elle va plonger dans son aventure et aborder poliment le sens de la vie.

Les alentours du ruisseau sont parsemés de goélands

et de femmes parées de longs voiles blancs. Les mariées du samedi. Marie Finon se dirige vers l'une d'elles. Elle avait, à vingt ans, de la braise dans les yeux, comme cette Chilienne. Elle a vieilli et souhaiterait se revoir, pendant un quart d'heure, telle qu'elle était à vingt ans. Depuis un mois, depuis toujours, elle cherche un peu d'amour. Elle désirerait serrer la main des nouveaux mariés et de leurs invités. La Chilienne sourit, heureuse de présenter Marie Finon aux membres de sa parenté. Elle se tourne vers sa grand-mère et l'embrasse, Marie Finon l'imite. «C'est une question d'interprétation, souffle Diane à Gilles, c'est une question de secondes: l'univers quelquefois s'abrège et s'exprime en l'autre, on amasse quelquefois un fragment d'univers en arrondissant ses paumes autour du visage d'un autre.»

Marie Finon pose ses doigts sur ceux d'un homme; elle touche le sourire d'une tante de la mariée; elle cueille les beaux gestes. Les oncles et les tantes caressent les cheveux gris de Marie Finon qui cherche un peu d'amour depuis toujours. Leurs gestes brillent, des soleils fugitifs sur leur bouche et dans leurs mains. L'émotion use les dames âgées: Marie Finon va repartir. La grand-mère de la mariée essaie de la retenir; Marie Finon bafouille:

— Revenez au jardin.

Icha promet que demain, elle s'assoira sur ce banc, en face de l'étang. Marie Finon l'attendra.

Marie Finon se tait. Elle ne peut répondre aux questions de Clément. Diane songe aux samedis inconcevables sans Gilles. Marie Finon sort peu à peu de son émotion et s'explique lentement. Elle a cueilli de beaux gestes dont certains évoquaient des portes, des lampes, *las margaritas, las rosas, el copihue roja, el jardin de les suspiros, el condor, el huemul, las diez mil ventanas de la soledad*. Oui, elle a entrevu les dix mille fenêtres de la solitude.

Clément demeure dans le doute. Édith et lui ramassent des objets perdus: comment unir cette quête à celle des gestes perdus? Diane note que Clément ressemble à un prisonnier. Marie Finon s'avance vers lui et dessine des violettes sur la tache-de-vin qui lui a pris sa joue. «Las violetas.» Il n'a pas à s'inquiéter. Elle a appris l'espagnol, elle a encore appris les coutumes secrètes qui lient les objets aux gestes. Il y a quarante ans, elle était botaniste. Il y a trente ans, elle était marxiste. Sa pensée souffre de tremblements, ces derniers mois: cela n'affecte pas ses souvenances de botaniste ni d'ancienne marxiste. Ils se regrouperont ici, demain, sous le cerisier de Mahaleb qui abrite l'orpheline. Elle leur enseignera comment faire.

Diane, déconcertée, observe Gilles. Les défricheurs d'extase les ont quittés à cause du souper. Elle ne sait pas pourquoi elle appelle ainsi Marie Finon, Édith et Clément. Elle sait seulement qu'elle aperçoit son propre sourire sur les lèvres de Gilles. Il va retourner avec elle dans le contexte de la chambre. Il salue les inconnues, Katherine Fay, Corinne Wersan, Solange, la Fiancée et la Liberté. Elle ne sait pas ce qui lui arrive. Il fait beau, il fait chaud. Elle répète souvent les paroles de Gilles. Elle s'abandonne souvent en lui. Elle éprouve souvent en lui la sensation du vertige.

Gilles se heurte à un réverbère du boulevard Pie IX. Il prépare du café et renverse sa tasse sur la nappe, dans le contexte de la cuisine. Elle ne sait plus si elle palpe son corps à elle ou son corps à lui. Peut-être ne trouvent-ils qu'un corps à leur disposition depuis que bat en eux le cœur du temps, peuplé de milliers d'années et de bêtes. Diane se rappelle les yeux de sa mère, d'un bleu insoutenable, elle se rappelle son enfance au milieu d'une phrase où c'était le bonheur. Oui, elle éprouve souvent la sensation du vertige. Elle ne démêle plus ce qui vient d'elle, ce qui vient de lui.

***

Gilles lèche le ventre de Diane, il lèche ses seins, il lèche la vie qui est comme ça, rafale d'étoiles dans le ciel excessivement noir, rafale d'arbres dans la forêt. Des bancs de neige, des bancs de cristal dégèlent sur la poitrine et sur les hanches de Diane; il penche la tête au-dessus de la vie qui est comme ça, une foule de mouettes, une foule de violons, une foule qui valse sur la mer; il enfonce sa langue dans la vie qui est comme ça, de la soie, de l'eau furieuse, des iris se balançant sur une corde tressée avec des noms d'étrangers. Le flot des mots. Le flot d'amour. Il va devenir fou. Mais il devient un frisson, un papillon, une écharpe, des gouttes de pluie qui râlent sur ses lèvres. Partout elle a lieu, sa femme falaise et vertige. Que c'est tendre, que c'est bavard, la peau d'un ventre, que c'est grande clarté, le vagin d'une femme! La terre gémissante griffe ses épaules et le mord, oui, la terre entière l'examine en ce moment, oui, la terre entière flambe entre ses bras, oui, il va devenir fou, il va devenir la terre entière, il crie avec elle roulant sur lui, le chevauchant et l'embrassant. Il ne sait plus qui il est, peut-être un papillon, peut-être un frisson. Son pénis, sa nuque, son ventre, sa bouche, ses yeux chavirent dans le ventre d'une femme. Puis la brise dans les mains d'une femme. S'en aller, ondoyer sur la surface de toutes choses. Éclater de douceur, fredonner une symphonie de Mozart à l'intérieur de toutes choses. Se sentir vaste, se sentir la terre entière et se noyer dans les profondeurs de toutes choses:

> *Il n'y a plus que toi et moi au monde, mon amour. Toi, ma vie, toi, tu es faite de tout ce qui nous connaît, faite d'oiseaux, de lacs et de rivières, de sapins et de cyprès. Nous gambadons chaque jour dans la forêt, nous allons boire à la source. Cela se produit toujours ainsi, nous dansons avec la beauté du monde et notre corps ne s'épuise pas. Je suis un chat, je suis un lièvre, je suis une marmotte, je suis un cerf. Et quand tu me mords, ma chatte, ma levrette, ma biche, ma mouette, c'est le ciel, c'est la terre qui me mord: sous ton pelage, sous tes plumes, viennent se coucher les couleurs du ciel et de la terre. Tu coules en moi comme la source où nous allons boire chaque jour. Tu miaules, tu trisses et tu siffles en moi. Tu hurles parfois aussi fort que l'ouragan. Où sommes-nous en ce moment, ma sauvagesse, mon ouragan? Tu me montres ton visage*

d'épilobe, d'immortelle, de verge d'or, tu me montres ton visage de forêt, de rivière, de jour et de nuit. Je crie en toi. Tu me reçois là-bas, dans l'été de tes entrailles bouleversées, tu m'aspires vers le bas, vers le haut de ta vie, tu me touches avec tes milliers de manières jusqu'à l'instant où la terre tremble, là-bas où nous jaillissons de partout. Je suis tout pour toi. Tu es tout pour moi. Je te retrouve parfois si petite, une marguerite, je te retrouve parfois éternelle, la mer immense avec ses hanches de sable. Je ne cesse de te regarder. J'assiste à la fête de l'eau sur ton visage, à la fête du soleil, j'assiste à toutes les fêtes, à toutes les bêtes sur ton visage. Je te dis ma chatte, ma levrette, ma biche, ma femelle aux odeurs musquées, je dis l'univers lorsque je te dis.

Il s'est noyé dans les profondeurs de sa femme falaise, de sa femme vertige. Oui, il l'aime infiniment. Oui, il a peur infiniment. En cas de bonheur, cela se produit toujours ainsi, il court le risque de pleurer, de s'esclaffer, de vagir, d'osciller dans le vide des sons et des images, il court le risque de mourir, il flanche.

Il se lève. Il va partir demain, c'est certain. Il va louer une autre chambre, dans un autre pays. Diane ou Viviane accourt:

— Qu'est-ce qui se passe?

Diane l'a entendu tomber, il pense: «Où sommes-nous en ce moment, ma sauvagesse, mon ouragan?» Dans une chambre, dans une minute, la situation va le dépasser. Diane l'aide à se relever. Il hoche la tête:

— Un étourdissement. Ce n'est rien.

***

Un vieillard déambule dans l'allée centrale conduisant aux étangs. Il avance à petits pas, le thorax incliné, tel un enfant apprenant à marcher. Il porte un pantalon trop long. Maintenant peut vraiment être maintenant. Diane fredonne la Symphonie 41, sa voix n'a plus les résonnances d'autrefois. Gilles salue Clément et Édith. C'est beau et surprenant de frôler Gilles avec des doigts qui ne chancèlent plus dans le brouillard d'autrefois. Diane sourit. Elle se modifie en ancolie, en anthéridie, dans ces endroits où Gilles l'appelle. Il est sa marguerite, son océan et sa cordillère.

Le vieillard au pantalon trop long fabrique des bateaux de papier qu'il lance sur l'étang aux saules. Marie Finon l'aborde poliment. Il accepte de lui enseigner les rudiments de la navigation à laquelle il s'adonne ici. Ensemble, ils plient et replient des feuilles de papier; bientôt, sur l'herbe, s'entassent des dizaines de bateaux. Ils s'agenouillent ensuite et soufflent sur leurs embarcations fragiles qui s'éloignent du rivage. Diane et Gilles s'écartent d'eux.

Le temps s'arrête quelquefois, le temps de contempler

les massifs de weigelas. Diane ne voudrait plus jamais bouger. Sait-on à quelle heure les weigelas et le corps quittent l'habitude d'une forme? Gilles et Diane s'imbibent de silence. Quelquefois, le temps s'arrête. Quelquefois, on n'est plus personne en amour, on cueille la ronde et lente splendeur des choses, on rêve avec l'âme assise dans le cœur d'une hirondelle. Gilles murmure:

— Dans deux jours, ce sera fini.

— Quoi?

Elle voudrait que le temps retourne en arrière, qu'il s'arrête là où il se tenait, cinq minutes auparavant, dans le cœur d'une hirondelle.

— D'ici deux jours, les fleurs des pommetiers et de l'amélanchier seront fanées.

— Ah!

«Dans deux jours, ce sera fini.» Cette phrase est embusquée, oui, cette phrase la guette dans un détour de l'avenir. Gilles repartira en Suisse. Une question de jours, de semaines. Cela se représentera et la déchirera, à un moment donné. Comment un moment peut-il vous être donné quand il vous arrache tout? Cela lui déclarera: c'est fini.

Gilles craint d'arriver en retard au rendez-vous que Marie Finon leur a fixé hier. Il se hâte. Diane serre très fort les doigts de Gilles. Perdre ces doigts, perdre ce contexte, ce serait le temps qui s'arrêterait définitivement.

Il y a généralement deux Édith, celle du jardin et celle de la photographie. Diane s'enquiert:

— Sur cette photo, tu étais enceinte?
— Oui.
— Tu as eu un enfant?
Édith secoue la tête:
— Non.
Elle se redresse et ajoute:
— C'était un enfant irréalisable.
— Pourquoi?

Édith reprend la photographie sans répliquer et se faufile près de Marie Finon qui s'est mise à expliquer les moyens de réunir les objets et les gestes égarés. Il faut compter sur le vent et sur l'innocence des choses. Il faut redescendre vers l'innocence. Clément suppose que Marie Finon énonce là des vérités de son âge. Il est plus jeune qu'elle et ne comprend pas. Édith fixe le bout de ses souliers rouges. Lorsque Icha, la grand-mère chilienne, réussit à capter des bribes de phrases, elle s'exclame: «Ah! Oui.» Martine agite sa cuillère dans les airs. Gilles et Diane se taisent.

Marie Finon poursuit en les examinant à tour de rôle. Ils chercheront le sens de la vie, ils voyageront dans l'inconnu à la façon des Québécois qui s'approchent de la réalité avec longue hésitation: sans pouvoir dire d'elle, «c'est ceci», «c'est cela», ils tentent de la toucher en disant «c'est comme». Ils auront besoin de l'escorte de ces mots-là pour se livrer à l'inconnu.

Clément interrompt Marie Finon. Ce qu'elle a fait, samedi dernier, se glisser aux côtés des invités de la noce, leur tendre la main, les embrasser sur la joue, c'est facile quand on a les cheveux gris. Gilles ou Diane, Édith ou lui-même ne parviendraient pas à répéter cet exploit. Le visage de Marie Finon s'éclaire d'un sourire moqueur.

— Il s'agit d'être réaliste. Pourquoi les gens visitent-ils le jardin? Le plus souvent, ils viennent voir des fleurs. Il s'agit d'être simple. Voilà, Édith, Gilles, Clément et Diane, vous allez vous transformer en guides et apprendre aux visiteurs le nom des familles auxquelles appartiennent les fleurs et leurs principaux habitats. C'est tout. Juste ça. Vous saisirez parfois une main, ce ne sera pas dramatique, ce sera banal, personne ne s'étonnera; l'important, c'est d'avoir une bonne raison pour aborder les visiteurs.

— Je ne distingue pas une primevère d'un dahlia.

Marie Finon pense que Gilles se tracasse inutilement:

— Vous allez étudier. Il y a quarante ans, j'étais botaniste. On se rassemblera chez moi, dans mon appartement. Je serai votre professeur.

Perplexe, Gilles observe Clément, Édith, Diane, Icha, Martine et Marie Finon. Ils sont un peu fous. Ils sont sûrement nés d'une propositon de l'inexactitude. Clément gratte la tache-de-vin sur sa joue en affirmant:

— Avec l'identité des fleurs, on ne sera pas beaucoup plus avancé! L'identité des fleurs ne nous révèlera pas l'identité des gestes, le sens de la vie.

Marie Finon rit.

— J'ai parlé d'innocence: il sort toujours du nouveau des grandes rencontres. Une main vous apparaîtra peut-être comme une pluie de rose foncé, comme la chaleur de l'été, comme le velouté d'un tissu. Le nouveau demande surtout, afin d'être remarqué, une part d'innocence, une part de soi qu'on a tendance à oublier.

Il s'agissait d'être très simple et d'aborder poliment l'inconnu. On commence sa vie avec innocence. Il ne faudrait pas sous-estimer le savoir des choses et des gestes. En somme, ils conjugueraient leurs connaissances à celles des choses et des gestes. Marie Finon insistait. Et elle bavardait. Peut-être frisait-elle le délire quand elle avait évoqué les conjuguées, ces algues d'eau douce. Mais c'était certain, elle avait de la braise dans les yeux, elle avait vingt ans. Elle soulignait sa présence avec tant de détails singuliers, une robe à pois, un collier de perles autour du cou, que Gilles avait accepté sa suggestion de retourner aux études. En général, dans la vie, on ne laisse pas seuls les gens qui attendent du nouveau.

CHAPITRE 5

Édith offre à une jeune femme de l'accompagner; elle est botaniste et lui apprendra le nom des vivaces et des annuelles ordonnées en rangées derrière le restaurant. Les diverses familles de fleurs n'envisagent pas la vie de la même façon, avec les mêmes couleurs, avec la même forme et la même dispositon de leurs pétales. Édith peut lui expliquer comment procède chacune de ces familles. La jeune femme acquiesce en ajoutant qu'elle ignorait la présence de guides, au jardin. Un service organisé récemment par la ville, se hâte de préciser Édith, oui, un service gratuit, une gracieuseté du Conseil municipal. Diane et Gilles, postés non loin, regardent Édith.

Le soir, chez Marie Finon, celle-ci se taisait. À son arrivée, elle enlevait ses bracelets rouges et les déposait sur la table; les heures passaient sans qu'elle changeât d'attitude, immobile sur sa chaise, les yeux tournés vers Marie Finon. Il n'y avait que ses doigts qui bougeaient pour suivre le contour des fleurs dessinées ou photographiées dans les livres et les encyclopédies. Clément, au contraire, interrompait souvent Marie Finon, qui répondait à chacune de ses questions. Après un instant d'hésitation, il murmurait «c'est irréfutable» et Marie Finon continuait. Diane empruntait les manuels de botanique et l'avant-midi, poursuivait l'étude des inconnus qu'elle saluait depuis le début du printemps. Gilles renversait un nombre incroyable de tasses de café. Icha se levait et essuyait la table; Marie Finon s'adressait parfois à Icha en espagnol, en lui montrant des illustrations. Martine n'écoutait pas. Elle repassait. Marie Finon avait découpé des languettes sur lesquelles était écrit son nom et Martine les collait, au fer chaud, sur les robes de Marie Finon, qui en possédait trois cent soixante-cinq. Cinquante d'entre elles seulement avaient été étiquetées jusqu'à présent. C'était très sérieux, cette manie vestimentaire de Marie Finon: désireuse d'aborder poliment chaque jour de l'année, avec ce qu'il comporte d'unique clarté, elle revêtait une robe différente à chaque jour.

Aujourd'hui, le trois juin, ils sont rassemblés près du restaurant afin d'assister à la première démonstration. Édith a voulu mettre le temps de son côté et être la première à mettre en application les enseignements de Marie Finon.

La visiteuse caresse les pétales d'une raiponce blanche, originaire d'Eurasie et appartenant à la famille des campanulacées. La main d'Édith voltige au-dessus de celle de la jeune femme. Édith prend ensuite des notes dans son calepin. Elle se détourne, observe furtivement le groupe et s'éloigne avec celle qui ponctue d'exclamations leur conversation.

De retour, devant le restaurant, elle assure que c'est simple: Marie Finon a raison. Elle avait tantôt l'impression d'avoir des yeux d'enfant. Elle récite ses notes en bégayant: «comme une maison abandonnée à des roseaux entrelacés dans le sourire d'une rivière», «comme la nuit rêvant dans un étang», «comme le vieillard qui confectionne des bateaux de papier». Tantôt, elle ne bégayait pas; il lui semblait qu'elle était soulevée de terre, emportée vers une indicible transformation d'elle-même. Marie Finon comprend. Clément, Gilles et Diane vont se convertir à leur tour en gracieusetés du Conseil municipal. Martine et Icha les attendront devant le cerisier de Mahaleb.

La voix de Diane trébuche alors qu'elle interpelle une touriste:

— Je suis botaniste et si vous voulez...

— Pardon?

— Nous sommes plusieurs à guider les gens dans le jardin et à dispenser de l'information sur les fleurs.

Sa voix se raffermit. Elle plonge dans son rôle et déclame que les ancolies ou colombines poussent habituellement à l'ombre, dans des sols humides. Maintes variétés hybrides sont issues de la grande ancolie «Cœrulea», par exemple, «Mrs. Scott Elliott», à fleurs bicolores, et «Crimson star», à fleurs écarlates. La touriste française s'agenouille devant une ancolie; elle en effleure les pétales délicats. La main de Diane s'arrondit et recouvre celle de la touriste française. C'est simple, c'est voisiner avec la lumière. Des mots naissent à l'instant où la Française palpe la tige charnue, presque transparente, d'une impatiente de la famille des balsaminées: «comme une bordée de neige endormie sur le visage d'une petite fille». Des mots traduisant le velouté d'une bouche posée sur un iris: «comme un ruisseau affluant des doigts de la solitude». C'est chaudement voisiner avec la lumière, ces choses amoureuses qu'on encercle avec ses paumes afin d'entendre leur cœur battant. Marie Finon ne s'est pas trompée.

Ils ont voyagé dans l'inconnu à la manière des Québécois. Ils se lisent les comparaisons qu'ils ont griffonnées dans leur calepin: c'est comme... Marie Finon a de la braise dans ses prunelles bleues. Gilles et Diane quittent le groupe et se dirigent vers le bois de bouleaux.

Muets, ils se touchent du regard. Ils iront bientôt voir la mer. Ce troisième jour du mois de juin, ce cinquième jour de la semaine, ils s'allongent l'un près de l'autre. Jamais elle n'aurait cru qu'elle s'enfoncerait dans le bleu, dans le rouge, dans le vert d'un être, jamais elle n'aurait cru que, sous sa peau, se dérouleraient des siècles d'inconcevable douceur. Tout est possible. En ce moment, ils s'étreignent à proximité du soleil. C'est fou mais c'est vrai, ils frôlent une nuée d'hirondelles, une constellation noire et fugitive, ils rôdent à haute altitude dans un corps secret.

Marie Finon réclame les notes qu'ils ont rédigées. Diane et Gilles reviennent du ciel avec difficulté. Clément se plaint de douleurs à sa jambe qu'il n'a plus: il s'étend près de Diane et de Gilles. Édith tortille l'ourlet de sa robe blanche en s'asseyant sur l'herbe. Dans le jardin, les femmes risquent de s'appeler toutes Marie Finon car celle-ci, estimant qu'il est nécessaire de s'endimancher pour aborder poliment le beau monde des gestes, a prêté une robe à Icha, à Édith et à Martine. Demain, ils se retrouveront à midi, devant l'étang aux saules.

Après que le groupe se soit dispersé, Gilles et Diane flânent dans l'allée centrale. Subitement, le jardin disparaît dans le brouillard. Diane ne distingue plus qu'une infirmière qui avance vers elle. Son sang se glace dans ses doigts, c'est vrai, c'est faux, ce sourire sur les lèvres de l'infirmière qui s'écrie:

— Diane, ça fait si longtemps! Comment vas-tu?

Diane évite le visage de l'infirmière en baissant les paupières:

— Je vais très bien.

Elle insiste: «Je vais très, très, très bien.», de crainte que cette infirmière n'en dise trop. L'infirmière inscrit son numéro de téléphone sur un coin de son paquet de cigarettes qu'elle déchire et tend à Diane:

— Tu me téléphoneras.

— Bien sûr.

— Tu es certaine, ça va bien?

Une formule préfabriquée qui conserve une odeur d'hôpital. Cette infirmière paraît déplacée dans un jardin. Dès qu'elle a disparu dans la foule, Diane jette le morceau de carton et se met à marcher plus rapidement.

— Qui c'était?

— Une cousine.

***

Gilles se déshabille. Diane souligne sa présence en fredonnant la Symphonie 41 et en brossant ses cheveux roux. Il lui enlève la brosse des mains et la coiffe. La vie, c'est comme ça, une bouffée de tendresse, une amante devant soi, puis on ne sait pas pourquoi, l'univers bascule. Ses mains tremblent dans le contexte de la chambre. Il suffit d'un instant de bonheur pour raviver ce qui se dérobe en lui, Diane ou Viviane. Partir. N'importe où. Gilles se rhabille. Diane ne comprend pas.

— J'ai besoin d'air.

Elle hoche la tête. Gilles referme la porte.

Le dos courbé, il avance lentement sur le trottoir. Si fatigué. Si dérangé. L'univers et la mort de l'univers s'accomplissent sans cesse, devant, derrière lui. Il se couche sur le ciment qui devrait l'avaler. C'est toujours à recommencer. Cet homme en lui est infiniment petit, infiniment effrayé. Ces doigts écartés sur la surface cimentée ne lui appartiennent plus, ils appartiennent au cortège de ceux qui dansent sur la mer. C'est toujours à recommencer. Il se cogne la tête à plusieurs reprises contre le trottoir. Un peu de sang souligne sa présence sur le ciment. Il touche son front blessé. Il se relève. «Je t'aime», on devrait garder ça devers soi. L'autre demeure une façon de parler, l'autre demeure une façon de se parler quand on voudrait se taire éternellement. Quand on voudrait mourir. Il fait le plus de bruit possible afin que Diane ou Viviane n'ajoute plus rien, plus un mot, plus un son, plus un geste au-dedans de lui. Il traverse la rue en hurlant la Symphonie 41, en gesticulant et en se heurtant à une femme qui porte une robe orange et des talons hauts noirs.

Ici, sur le lit de sa chambre louée à la semaine, il s'oublie dans la femme trop circonstancielle pour lui confier quelque chose. C'est indispensable qu'elle n'existe pas trop: il pourrait l'étouffer, il n'a pas du tout envie qu'on lui confie quelque chose ou quelqu'un. Ici, il fait froid. Une forme orange lui redemande son numéro de téléphone. Ils ne se reverront pas, il fait beaucoup trop froid ici, dans l'homme infiniment petit. Une silhouette orange ferme la porte et s'en va. Il enfile ses vêtements et va vers la fenêtre. Il lève les yeux vers les étoiles. Diane ou Viviane flotte dans le ciel. Personne ne doit le reconnaître, cet homme infiniment petit qui redit: «Il fait beaucoup trop froid ici.»

Il s'examine dans le miroir au-dessus de la commode. C'est terrible de se reconnaître. Il va recommencer. Il va se cacher dans la garde-robe. C'est sûr, maintenant, il est seul. Viviane ne bouge pas. C'est comme ça: en général, Viviane ne bouge pas. S'il lui demandait: «Quel jour est-ce, aujourd'hui?», elle ne lui répondrait pas. C'est toujours comme ça: Viviane ne dit rien.

Trouver un peu d'espoir, au moins une fois. Il hoche la tête. Pas d'espoir, uniquement cet homme dans le miroir qu'il va étrangler avec ses propres mains, même si ce n'est pas vrai, même si ses mains n'ont rien à voir avec lui, au moins une fois, tuer la mort qui lui sourit dans le miroir.

Il a beau crisper ses mains autour du cou de cet homme dans le miroir, celui-ci ne bronche pas. Il n'est pas là. Gilles fracasse le miroir avec ses poings. Pourquoi Viviane frémit-elle dans son cœur battant? Pourquoi la vie lui fait-elle croire qu'elle est là? Il hoche la tête. Il doit être fou.

L'appartement de Diane vogue dans un monde irréel. En y entrant, Gilles essaye de dissimuler ses mains blessées derrière son dos mais Diane remarque immédiatement son front meurtri.

— Qu'est-ce qui s'est passé?

Il se contente de murmurer:

— Je me suis battu.

Au C.L.S.C. Maisonneuve, d'abord méfiante, l'infirmière l'a toisé: elle s'est moquée de son histoire, a changé d'attitude et, compatissante, elle a déballé un arsenal de pansements. Le médecin l'a obligé à s'inventer des antécédents, des maladies de famille, des maladies contagieuses et honteuses, il s'est préoccupé de son environnement. Enfin, il lui a prescrit des valiums.

Il y a beaucoup d'îles désertes à Montréal et à Genève. Gilles hoche la tête. Il explique à Diane qu'il est entré dans un bar, qu'il s'est saoûlé, qu'il a renversé des verres et qu'on lui a tapé dessus.

— T'aurais pu me téléphoner. T'aurais pu me donner signe de vie. Je me suis morfondue d'inquiétude.

Diane devrait comprendre. Il devrait cesser de hocher la tête, elle devrait cesser de se ronger les ongles et de le dévisager. Il lui sourit. Il avale une gorgée de café.

Les objets de la cuisine se sont habillés d'un voile mince, à la veille de se déchirer. Encore quelques minutes, et il annoncera à Diane son départ pour Genève. Il a besoin de revoir cette ville où il n'est presque pas né. Quelques minutes, c'est long lorsqu'on craint de casser une tasse, de trouer le voile jeté sur les choses trop fragiles. La main de Diane enveloppe la sienne, ceinte d'un bandage. La main de Diane effleure son front meurtri. Diane s'apprête à lire les comparaisons notées dans son calepin, hier et avant-hier, pendant qu'elle abordait poliment la foule des gestes, à la manière de Marie Finon. C'est comme une symphonie de Mozart, le vert d'une journée séduite par un arbre, les cailloux où se réfugient les étoiles, c'est surtout comme un miroir dans lequel il apercevrait un peu d'espoir.

Diane s'est tue. Gilles la caresse maladroitement. Il est surpris par des yeux de forêt, par des mots qu'il boit sur des lèvres goûtant la mer salée. Il pense que la vie, c'est parfois ainsi, c'est l'univers d'une femme touchée par le fait qu'il sourit. Il pense qu'il ne partira pas.

***

Édith s'adresse à une quinquagénaire handicapée et

pousse son fauteuil roulant; elle l'aide à diriger ses doigts vers les campanules agitées de frissons bleus. Diane les observe. Au même moment, Gilles, Marie Finon, Clément et Icha se penchent et cueillent un mouvement dans la main d'un inconnu. Les passants perdent leurs allures officielles, ils deviennent des tiges élancées déambulant dans le domaine du possible, là où la beauté des choses s'écrie et que perdure l'écho de leur voix douce, de leur voix venue des entrailles de la terre. Gilles frôle l'épaule de Diane. Est-ce bien une tige d'astilbe, est-ce bien un chat, un lièvre, un orignal, une marmotte, cet homme qu'elle appelle en épuisant les noms de l'amour fou? Elle palpe son visage. Il lui demande:

— Pourquoi ne nous as-tu pas rejoints?

La beauté des choses continue de danser en elle. Marie Finon, Martine, Icha, Clément et Édith les entourent; ils écoutent Gilles lire ses notes.

Ailleurs, sur une photographie d'Édith, un bouquet de fleurs et un étang se figent.

— C'est moi à vingt ans.

Diane interrompt Édith:

— Et l'enfant?

— Il n'a vécu qu'une demi-heure. Le temps n'était pas de son côté.

Édith ajoute que, dans sa famille, les enfants n'arrivaient pas au bout d'eux-mêmes. Ils s'arrêtaient en chemin.

— Ils sont tous là, sur la photo.

Diane ne voit qu'Édith. Celle-ci insiste: ses frères et ses sœurs sont tous présents, sur cette photo. Elle pointe le bouquet de fleurs.

Sa mère était habitée par une colère intarissable. Elle, Édith, la première née, ignorait pourquoi si peu de cette colère s'était imprimé en elle, si peu, seulement ce bégaiement intermittent. Elle raconte que ses frères et ses sœurs s'étaient éteints interminablement à cause de la colère qui ravageait leur chair. Ce devait être ça.

Édith s'immobilise et reprend. Sa sœur Adéline, aveugle, sourde et muette, n'avait presque rien su du monde; son frère Albert s'était égaré dans une tête d'eau, sans souvenirs, sans malheurs et sans bonheur; Jacques, le mongolien, souriait obstinément; et Marcelline, la plus jeune, était restée la plus jeune, n'avait pas grandi. À sept ans, elle dormait dans le berceau où sa mère l'avait déposée, le jour de l'accouchement. Le temps et les mots n'étaient pas de leur côté. Une poussière inexpliquable hantait la maison, s'étalant par couches sur le plancher et les meubles. La mère d'Édith s'exclamait: «Ah!» Cela signifiait balayer.

À six ans, Édith n'avait pas encore prononcé un mot. Elle avait appris à parler à l'école. À sept ans, à huit ans, elle se parlait en balayant tandis que le silence grugeait ses frères et ses sœurs. Puis le silence s'était gonflé le cœur, avait pris Adéline, la première morte. Édith avait décousu l'une des robes d'Adéline et l'avait découpée; elle avait ensuite fabriqué un bouquet de fleurs avec des tiges métalliques recouvertes de ce tissu. Pourquoi sa mère la photographiait-elle une fois par année, le cinq août, à quatre heures de l'après-midi, avec ce bouquet? Pourquoi Albert était-il décédé le cinq août, à quatre heures de l'après-midi? Édith interrogeait les fleurs artificielles qu'elle façonnait et qu'elle plantait ensuite dans le jardin, derrière la maison. Pourquoi la maison vomissait-elle tant de poussière?

Le six août de chaque année, elle se remettait à l'ouvrage dans la maison située hors du sens de la vie. Édith jette un coup d'œil à Marie Finon. La confection du bouquet, elle la voulait longue, une année entière à chuchoter des phrases au linge usé, car elle voulait obtenir une réponse sur le sens de la vie.

Édith avait eu dix ans, un cinq août, à quatre heures de l'après-midi, sur une photographie, alors que Jacques expirait. Elle avait eu douze ans devant un appareil photographique, avec entre ses mains un bouquet de fleurs dont les tiges de métal lui égratignaient les paumes, lors du décès de Marcelline. La poussière s'était mise à déborder de la maison après les obsèques de la plus jeune; elle s'était installée en tranches compactes sur le jardin et sur l'étang avoisinant. Elle flottait, tel un linceul mouvant, sur l'eau.

Édith s'étouffe. Clément lui tapote le dos. Marie Finon lui offre un bonbon au miel. Édith fronce les sourcils, réfléchit, touche l'herbe verte, elle saisit le poignet de Diane.

Elle avait continué de questionner Adéline, Albert, Jacques et Marcelline, ses fleurs du silence: ses frères et ses sœurs se taisaient toujours. Pourtant, ils disposaient d'une perspective nouvelle pour mieux reconnaître la vie: ils étaient parvenus sur son plus haut sommet, celui de la mort. Elle, elle époussetait et balayait toujours. Derrière la maison, ne poussaient que des chardons; c'est dans cet endroit, qu'Édith enfonçait ses bouquets. Elle avait besoin d'un jardin.

À dix-huit ans, elle avait songé que la réponse qu'elle attendait lui serait enfin livrée par son enfant. Durant sa grossesse, elle lui enseignait ce qu'elle avait appris à l'école et dans les livres achetés à l'épicerie du village. Neuf mois d'études, neuf mois de poussière qui n'avaient abouti à rien. L'enfant s'était montré, plein de confusion, sans colonne vertébrale, sans lèvres sur son visage. Le médecin, interdit, avait balbutié qu'il ne pouvait rien faire dans le cas des corps désolés et il avait quitté hâtivement la maison. Édith avait enterré son fils Sébastien derrière la maison, dans son jardin.

Les mois suivants, elle avait longé la folie sans cesser de balayer. Sa mère n'existait presque plus. Édith réussissait à lui faire avaler de la purée de légumes. Tout était inutile, balayer, confectionner des bouquets de fleurs, tout était terriblement inutile. Sa mère n'était sortie de sa léthargie, n'avait ouvert la porte qu'à deux reprises, après l'enterrement de Sébastien. Elle avait photographié Édith se tenant debout dans le premier instant de ses vingt ans. Puis elle s'était rassise près de la porte fermée, scrutant celle-ci du cinq août au vingt septembre. Édith s'en souvient encore, sa mère s'était levée, le vingt septembre, et avait marché vers l'étang. Édith l'avait vue se déshabiller et pénétrer dans l'eau, elle l'avait vue entrer chez elle, un sourire sur les lèvres. Sa mère s'était noyée sans se débattre.

Il n'y avait eu d'autre sens à la longue nuit d'Emma que ses enfants, désertés par la vie. Désertés à la même heure, à la même date. Tout était inutile. La maison le savait: le temps n'était pas de son côté. La maison se désagrégeait, elle se laissait choir lentement dans les bras de la mort en s'émiettant du dehors et du dedans, en s'émiettant si tranquillement que personne n'aurait soupçonné que la poussière, c'était elle, c'était la maison se couchant entre les cuisses de la mort. Elle s'est effondrée après le suicide d'Emma.

Édith avait consulté les archives paroissiales. Sa mère était venue au monde un cinq août, à quatre heures de l'après-midi, de père et mère inconnus. Il n'y avait eu dans la vie d'Emma que la mort de ses enfants et cet homme, son mari, qu'Édith n'avait jamais rencontré.

Édith pose sa main sur une photographie. Demain, elle remettra sa robe rouge. Ses bracelets et sa robe rouges l'aident à mettre le temps de son côté. Elle aime un homme qui affirme: «C'est irréfutable.» Elle cherche avec lui ce qu'oublient les promeneurs dans le jardin. Édith n'a plus la force de parler et tend les photos à Martine.

Diane serre les mains de Gilles. Elle se rappelle une phrase du récit d'Édith: «Mais y avait-il des jours dans cette maison?» Elle-même s'est déjà demandé ça. Elle a déjà pensé que le chemin à parcourir entre la naissance et la mort, c'est une question d'interprétation, une question de jours, à laquelle on essaie de répondre en disant «mon amour».

***

Cette rose que Gilles a achetée ce matin, ces pives de mélèze qu'il a déposées dans les poches de son pantalon, jusqu'à ce sourire de Diane sur ses lèvres à lui... Il examine ses mains larges et maladroites qui s'emplissent d'elle, de ses doigts de petite fille. Oui, en ce moment, il devient peut-être une petite fille qui croit que tout est profondément vrai, que tout est profondément faux.

Diane verrouille la porte de l'appartement. Elle se heurte à un réverbère, elle murmure qu'il fait beau, qu'il fait chaud. Elle tombe et se relève. Dans le jardin, Gilles salue Katherine Fay, Corinne Wersan, Solange, la Liberté et la Fiancée. Lui, ce n'est plus lui. Diane lève les yeux vers le ciel. Il hoche la tête avec elle devant Édith vêtue de rouge. Lui aussi, il offre une pive de mélèze à Martine. Lui aussi, il se trouve ailleurs, dans la chair décousue par l'amour.

Il songe qu'il va partir demain. Cela le rassure, cela le ramène vers lui. Diane cueille actuellement les mouvements d'une touriste. Non, il n'ira pas jouer au guide, non, en ce moment, il étouffe et note dans son calepin de vieilles formules venues à son secours: «Combien d'hommes meurent à la guerre? Combien d'inconnus errent sur les routes, avec des jambes et des bras coupés par les circonstances de la guerre, avec une effrayante exactitude?»

Gilles va ensuite s'asseoir sur le banc, près de l'orpheline. Son front s'inonde de sueur. Il caresse les cheveux de Martine parce qu'il a des problèmes avec la vie. Et il entend cet homme en lui qui redit: «Il fait beaucoup trop froid ici.»

Diane s'approche. Il entend la musique de Mozart. Il aime infiniment sa femme falaise, sa femme vertige qui s'appuie sur son épaule. Il ne peut plus concevoir son propre corps sans elle, mais devenir une petite fille, devenir l'été, devenir quelqu'un d'autre, cela ne fait pas partie du domaine du possible.

Seul, dans une chambre d'hôtel, il se retrouverait peut-être. Il ne parlerait pas de ces détails singuliers sur le visage de Diane. Il y aurait Viviane, un chat, et toute une foule cherchant un peu d'espoir dans un miroir. L'amour, c'est si proche de la mort lorsqu'il vous transporte au loin. Il gémit en elle durant cette seizième nuit de juin. L'amour, c'est beau et effrayant, c'est comme ça, un cri collé contre un autre cri, juste avant de mourir.

CHAPITRE 6

Quand un homme dort, on ne peut plus dire qu'un homme dort. Les doigts enfoncés dans sa bouche, les jambes repliées sur sa poitrine, un enfant dort près de Diane. La nuit, Gilles se parle souvent à voix haute pendant qu'il n'est plus un homme.

Le vrai bonheur est sûrement une plante qui pousse dans l'obscurité: Diane a rêvé depuis un mois qu'elle aurait bientôt dix-huit ans, et ce matin, c'est merveilleusement réel, c'est la fête dans son corps. Elle s'appareille pour aller chercher ce dont on a besoin lorsque l'âge se trompe.

Comme autrefois, elle quitte la maison. Tout était profondément vrai, profondément faux chez son père et sa mère. Ils faisaient les choses à moitié, laissant des portions de malheur s'infiltrer dans le bonheur, éclaboussant les grands malheurs de petites flaques de bonheur. Elle les salue comme autrefois, en laissant sur la table une chandelle allumée. Ce matin, elle ne fera pas les choses à moitié. Comme autrefois, elle referme lentement la porte derrière elle.

À son retour, il ne reste de la chandelle qu'un dépôt de cire dans un des chandeliers de cristal que lui a offerts Gilles. Celui-ci sommeille encore. Diane dépose dix-huit roses sur l'oreiller. Gilles s'éveille. Le vingt-quatrième jour de juin, le septième jour de la semaine, elle glisse une bague le long de son annulaire et elle remarque qu'un doigt, c'est étonnant, c'est pareil à une fleur dans la tête d'une femme âgée de dix-huit ans. Lui, il sourit et ne comprend pas ce qui lui arrive. Il demande la date, l'heure, il hume l'odeur des roses dont le nombre le déconcerte.

Elle explique qu'elle a acheté quelques accessoires afin d'interpréter le vrai bonheur avec lui: un chapeau melon, une canne et un ourson en peluche. À d'incertains instants, la vie ressemble à Charlie Chaplin, béant de maladresse. Elle veut que s'allument les lumières de la ville. Oui, elle a déjà été aveugle, avec des murs blancs tapissant ses prunelles, il hoche la tête sans comprendre. Elle veut qu'il allume les lumières de la ville, car il suffit de devenir Charlie Chaplin pour faire briller le soleil au cinéma, car on a un cœur comédien qui s'épuise à battre dans le noir des salles de cinéma. L'ourson, elle le remet à l'enfant qui accompagne Gilles la nuit.

Il rit. Le chapeau melon sur la tête, il se balade dans la chambre, en s'appuyant sur la canne; l'ourson en peluche juché sur son épaule tombe sur le plancher. Puis il danse en virevoltant sur lui-même. Il grimpe sur le lit, il fredonne une symphonie; elle s'agriffe à ses cuisses et ensemble ils voltigent, des oiseaux sur le lit, et ensemble ils s'effondrent, se relèvent et courent dans la cuisine, dans le salon et dans la chambre; ils alignent sur la table et sur les commodes les trente chandeliers de cristal que Gilles a achetés dans une boutique la semaine dernière.

La ville, c'est ici, dans cet appartement. Et c'est la première fois que cette ville se réveille avec trente lueurs dans ses immenses yeux. Ils errent dans ses rues, un chandelier de cristal dans chaque main. Ils ne se sont jamais aperçus et se croisent. Charlie Chaplin remue les lèvres. Il fait beau, il fait chaud dans cette ville inventée; Charlie Chaplin présente dix-huit roses à une aveugle dans l'incroyable douceur des choses, et le corps de l'aveugle flambe jusqu'à rougeoyer dans ses yeux, et l'aveugle regarde la ville fondre en nitescences entre ses dents de pluie. Maintenant peut vraiment être maintenant, c'est la première fois qu'elle boit de la lumière et de l'éternité coulant dans un homme en particulier.

Les secondes se sont allongées sur eux, chancelants et ivres de clarté. Elle ajuste un nœud-papillon à sa chemise. Il prend sa main et la mouille de salive. Elle touche ses joues. Dans leurs gestes, demeurent un homme et une femme qui viennent d'avoir dix-huit ans. Ils éteignent les bougies. Ils s'aiment en froissant la peau du silence, sur le lit:

> *Il n'y a plus que toi et moi, mon amour. Je plante mes dents et mes griffes dans ta chair. Tu as des lèvres de mousse, mon amour. Tu as des bras de rivière, mon amour. Tu dérives dans mon*

ventre où je garde la force des épilobes, des marguerites, des lys et des immortelles qui nous escortent; nous flottons dans le mauve, dans le bleu et dans le rouge écarlate lorsque nous nous perdons, enlacés au plus fort de la tempête. Cela se produit toujours ainsi, nous dansons avec la beauté du monde. Des mouettes se déversent parfois dans le ciel. Des lièvres et des marmottes filent parfois comme des éclairs dans la forêt. À grandeur d'être, nous répétons les mouettes, les lièvres et les marmottes, nous traversons du côté de ce que nous voyons, dans la beauté du monde. Et je chante en assistant à la fête du soleil sur ton visage. Et je pleure et je ris en même temps dans ton corps, nous faisons tous les temps, toutes les bêtes qui se promènent dans le vaste domaine de ton corps. Où sommes-nous, en ce moment? Tu existes tellement, tu es là à bruiner, à venter, à soleiller, tu es là à répandre des feuillages, des étoiles, des algues et des coquillages, tout cela dans mon ventre, tout cela qui hurle avec nous. Je te dis «mon amour», je te dis tout. Des épinettes et des mélèzes roulent dans ma poitrine, se fraient un chemin sur ma bouche, sur ta bouche, nous brûlons, nous chantons la magnifique blessure qui nous étire, nous consume et nous prolonge au-delà de la première journée du monde, mon amour. Je bois ta chair, je bois l'éternité mêlée à notre respiration. Il n'y a plus que toi et moi pendant que l'éternité

souffle sur ton visage.
Je ne dis, je ne fais rien d'autre que toi durant l'éternité, tes ailes de mouette, tes sourires de sapin chaviré, tes apparences de pluie, ta chevelure de neige, et je m'égare en gémissant dans la beauté furieuse du monde, dans le cri qui nous épouse de la tête aux pieds, au plus fort de la tempête.

Sa peau brûle et jase malgré elle, dans un pays où rien n'est officiel. Ici, dans une chambre, elle essaime en des milliers de lieux, elle est rose et mouette, elle est mélèze et coquillage, elle tremble à l'intérieur d'une symphonie. Ici qui n'est plus ici, dans une chambre où l'éternité vient d'avoir dix-huit ans, elle demande à un homme qui ressemble à Charlie Chaplin de préparer du café.

***

Gilles lève les yeux vers le ciel. À haute altitude, se meuvent des constellations noires et fugitives. Il attrape la main de Diane. Les gens se bousculent en pleine fête; des photographes les interpellent brusquement: où est passée la mariée?

Douze dames en blanc, qui ont dû emprunter leur ravissement aux cerisiers en fleur, déambulent dans les allées du jardin, guidées par Clément, Édith et Marie Finon qui cueillent leurs gestes. Puis les mariées retournent en direction du bon sens, vers le mari et vers le photographe aux maxillaires crispés. L'heure s'égoutte, l'heure choit dans l'incroyable douceur de vivre étendue sur les mains de Diane jointes aux siennes. Gilles caresse les cheveux de Diane.

Le jardin s'illumine de soleil, d'iris et de pivoines. Diane murmure qu'il est tout pour elle. Et il se sent profondément heureux, profondément réel à l'heure juste de la douceur de vivre. Il cale son chapeau melon sur sa tête et trace des moulinets avec sa canne afin que ne transparaisse pas ce qui s'empare de lui, cette écharpe, ces violons, cette mer enivrée d'algues et de vent. Et l'heure vole, avec des bruissements d'ailes d'oiseaux, avec son cœur épinglé aux rayons du soleil, l'heure le rend aussi grand qu'à l'époque où il touchait la longue écharpe cousue de mots, dans le ciel de Genève.

Icha, Marie Finon et Martine attendent le bonheur sur un banc, devant le cerisier de Mahaleb. Les yeux de Marie Finon brillent. Icha lui frotte l'épaule et se tourne vers Gilles:

— Sus ojos son como dos brasas ardientes.

Marie Finon l'approuve, persuadée que les yeux de Gilles sont des braises. Diane salue Clément et Édith. Clément lèche sa tache-de-vin, cette forme que le doute a adoptée sur sa joue droite.

Mais aujourd'hui, il n'y a pas de doute, le jardin

s'illumine, des dames en blanc y chantonnent. Gilles, lui, s'est fiancé ce matin, il est si grand aujourd'hui qu'il soulève dans le bleu du ciel sa femme falaise, sa mouette vertige. Diane s'agite dans ses bras, elle éclate de rire. Où sont-ils en ce moment, dans une tempête ou dans une ville? Elle rit encore.

La nuit, il l'écoute; elle parle, en dormant, d'une prisonnière, elle parle des anthéridies, de la soif des choses et des roses, elle parle souvent d'une promenade dans une ville obscure. Elle s'invente un flot de mots, la nuit, dans l'intention d'allumer les lumières d'une ville obscure. En ce moment, elle lui offre une pive de mélèze, en ce moment, elle lui fait cadeau d'un mot qu'elle a déjà prononcé en dormant. Et lui, il se sent si grand, si fou, si heureux en ce moment, qu'il croit se trouver là où Mozart serre le soleil dans ses bras.

Gilles entrevoit Martine, l'orpheline de visage, qui s'approche d'une des mariées de ce samedi. Celle-ci embrasse son époux, à la requête du photographe. Martine saisit la main de la mariée et la colle contre son front. Clément, son calepin posé sur la valise rouge, griffonne des notes. Le photographe exige que Martine s'éloigne. L'Italienne refuse. Dans l'album de famille, Martine tiendra son bouquet et portera son voile, qu'elle vient d'enlever. La volonté du photographe n'a pas d'importance, Martine embrassera son mari dans cet album qui se souviendra de cette minute. Oui, cette minute dure longtemps, peut-être parce que Gilles est grand aujourd'hui, si grand qu'il ne se défend plus d'être heureux. Il serre Diane dans ses bras, il serre le soleil dans ses bras.

Diane et lui valsent sur le sentier séparant les deux étangs, ils flottent dans une légende, et Diane sourit de toutes ses forces, cela se produit toujours ainsi, durant la première minute de la vie: le corps sourit de toutes ses forces. Des couples suivent leur exemple et virevoltent avec eux dans l'allée bordée de symphorines et de chèvrefeuille. Oui, c'est le bonheur qui le poursuit, Mozart serre le soleil dans ses bras, Mozart se couche sur ses lèvres et ne cesse de dire «oui», de dire que c'est profondément vrai, qu'il danse à l'intérieur des yeux verts d'une femme, qu'il danse avec le commencement du monde. Il y a des iris ou des étoiles sur l'herbe, il ne sait pas, il retient son souffle en apercevant l'espoir dans ce visage appuyé sur le sien. Où sont-ils en ce moment?

Elle dénoue le roux de ses cheveux tressés. Elle a dix-huit ans. Ils se sont assis sur l'herbe sans s'en rendre compte, et le vert des yeux de Diane s'est répandu sur l'herbe. Le jardin étincelant et déraisonnable se remplit de folles gens concevant de folles légèretés, des entrechats, des gigues, des pas de menuet et de tango aux abords du ruisseau et dans les sentiers menant à l'arboretum.

Près de l'étang aux sorbiers, de très jeunes enfants roulent dans l'herbe et se taquinent. De très vieux enfants, aux joues ridées, se caressent timidement. Les douze mariées de ce samedi sont entraînées dans une ronde autour de l'étang. Des gardiens les observent sans oser intervenir. L'un d'eux explique que c'est aussi le jour de la fête nationale et que les autorités municipales ont dû organiser hâtivement cet événement, sans en avertir le personnel. Gilles se redresse et court avec Diane prendre place dans la ronde. Gilles pense qu'il rêve, que ça n'a pas de sens. Le cercle s'est élargi. Des Italiens, des Chinois, des Latino-Américains, des Japonais, des Français et des Montréalais se côtoient en un cercle frémissant de bras et de mains noués, par delà l'étang aux saules.

Puis, le cercle se défait lentement. Gilles presse Diane contre lui: il vérifie s'il ne rêve pas. Diane prononce des mots stupéfiants: la vie demeure ailleurs, dans un corps auquel on ne s'attend pas. Gilles hoche la tête. Des Italiens, des Chinois, des Latino-Américains et des Montréalais regroupés devant eux se regardent en souriant. Gilles écoute Diane ou Viviane: la terre qu'on a damée durant des siècles, en utilisant une hie et maints outils, afin de l'obliger à se tasser sur elle-même, la terre a éclaté aujourd'hui. Elle sort quelquefois d'elle-même, elle respire une bouffée d'air pour la multitude des morts qu'elle garde dans ses entrailles. Diane ajoute que cette ronde, c'est peut-être une question d'interprétation, c'est sûrement l'œuvre de l'inconnue du jardin qu'ils ont aperçue un soir, à minuit. Gilles ignore ce qu'on répond dans une occasion pareille.

Il pense qu'il rêve, que ça n'a pas de sens, que le jardin visité par une inconnue est ébranlé dans ses fondements. Ce n'est pas possible, les mariées du samedi enlèvent leurs souliers, nouent autour de leur taille leur ample jupe blanche et montent sur les épaules d'un parent; elles s'agrippent aux branches les plus basses d'un érable, d'un sorbier ou d'un poirier; elles s'égratignent les paumes en se cramponnant aux branches les plus hautes. Il y a énormément de gens dans les arbres. Des vieillards, des enfants et des adolescents dont le visage apparaît entre les feuilles s'interpellent. Les arbres se parlent, les arbres se mettent à chanter. Des gardiens désemparés se précipitent vers les sorbiers et les pommetiers qui sifflent dans le jardin déraisonnable.

— Viens-t-en! crie désespérément l'époux de l'Italienne qui a exigé de se faire photographier en compagnie de Martine.

Mais l'Italienne n'obéit pas. Les arbres miaulent et aboient, les arbres chantent. Gilles chuchote à Diane que c'est beau, que c'est fou et qu'il tremble pour cette raison. Il faut bien une raison pour trembler, il faut bien une déraison pour ensuite fredonner avec Icha, la grand-mère chilienne, une berceuse de Violeta Parra. Marie Finon, Clément et Édith griffonnent des notes dans un calepin; ils veulent recueillir le sens inusité que trouve la vie, pendant cette journée de démence nationale. Gilles se contente de rire, ça n'a pas de sens, ce vent de folie. Marie Finon insiste, elle tient à aborder poliment la démence nationale: cela survient si rarement qu'ils doivent défricher les extases, les examiner attentivement et ne rien omettre de la largeur et de la vastitude des gestes dans leur calepin.

Une pluie soudaine s'abat sur le jardin. Les gens s'affolent et redescendent sur terre. Quelques-uns, au pied d'un poirier ou d'un sorbier, aident un vieillard à revenir sur l'herbe. Il y a aussi ces dames en blanc, magnifiques comme des cerisiers en fleur, dont la robe s'accroche à des courçons et se déchire; il y a aussi ces autres femmes, ruisselantes d'eau, qui marchent, les yeux effarés, conservant entre leurs doigts une poignée de feuilles. La foule court dans le sentier séparant les deux étangs, la foule se rue vers l'allée centrale, vers la sortie. Certains chancèlent, ne parviennent pas à se relever. Des prénoms passent et repassent sur des lèvres alarmées. Certains s'arrêtent, demandant à leurs voisins ce qui a pu leur arriver.

Un jour différent des autres, un jour de démence nationale, un jour d'eau et d'arbres. Gilles ne sait plus ce qu'il raconte à Diane, sous la pluie. Il remarque que les yeux de Diane deviennent gris, sous la pluie.

Des lambeaux de flanelle grise, de coton mauve, de soie rose et blanche ondoient légèrement sur les branches des arbres. Diane remet à Gilles la canne qu'il avait cachée sous un banc. Aujourd'hui, ils ont dix-huit ans, l'âge de ramasser ce qu'on a oublié. Clément, Martine, Icha et Marie Finon rassemblent les morceaux de tissu que la foule a laissés accrochés aux branches. Édith les range dans la valise rouge. Les gardiens ne se soucient pas d'eux: ils entourent des ambulanciers occupés à disposer des brancards et à secourir plusieurs visiteurs qui se sont cassé une jambe.

Ce jour-là, Marie Finon froissait une feuille sur laquelle était écrit le prénom de ses petits-enfants. À moitié égarée, elle saluait Gilles, Diane, Clément, Édith, Icha et Martine en les appelant renonculacée, polygonacée, balsaminacée. Marie Finon se perdait dans ses connaissances de botaniste, elle toussait, elle s'étouffait poliment en posant sa main devant sa bouche. À vrai dire, ils s'étaient tous égarés ce jour-là. Ils étaient tous entrés dans ce que Diane pourrait nommer le bonheur ou Mozart.

Les journaux éparpillés sur le lit ne signalent pas les événements qui se sont déroulés au jardin, hormis un entrefilet dans *Le Devoir* rapportant un seul accident. Pourtant, c'était grande confusion chez les nombreuses personnes qui faisaient parler les arbres, ce jour-là.

Gilles s'est endormi. Diane observe Virginia Woolf sur le mur, le chapeau melon et la canne sur la chaise. Les murs d'une chambre et les cadeaux de fiançailles demeurent toujours une question d'interprétation.

CHAPITRE 7

Diane a été particulièrement troublée cet après-midi, en guidant une Marocaine dans le jardin. Ses mains s'étaient repliées autour de celles de la touriste, et ce geste l'avait amenée dans un désert, dans d'autres mains creusant le sable afin d'y trouver une oasis. Puis la touriste s'était détournée, elle avait regardé Clément en train d'expliquer à un adolescent que les monardes appartiennent à la famille des labiées. La Marocaine avait devancé Diane, elle s'était penchée au-dessus des digitales nommées également «gant-de-loup», «doigt-de-Notre-Dame» et «doigt-de-femme». Ces vocables proviennent de ce que les inflorescences de la digitale imitent la forme d'un doigt creux, selon la Marocaine. Diane l'avait suivie. La touriste avait pris l'initiative des opérations, en matière florale. Elle avait même dit bonjour à l'orpheline de visage, avant de lui remettre une poignée de cailloux.

Gilles hoche la tête. Diane ajoute que la Marocaine souriait d'un air moqueur. C'est elle, là-bas, accroupie sur l'herbe, qui contemple le défilé des embarcations sur l'étang. Marie Finon et Almanzor, le vieillard au pantalon trop long qui se tient habituellement aux abords de l'étang aux saules, replient des feuilles de papier. Diane et Gilles s'approchent. Marie Finon écrit un prénom sur chacune des embarcations. Diane frôle l'un des bracelets d'Édith. Gilles, Icha, Clément, Édith, Martine et elle-même se sont mués en bateaux de papier sur lesquels soufflent Almanzor et Marie Finon.

Almanzor s'assoit entre Marie Finon et Clément. Il raconte qu'il a navigué trente-cinq ans sur la rivière Saguenay. Sa goélette s'appelait «Palma». Sa femme aussi s'appelait Palma. Sa femme aussi, c'était une rivière. Lorsqu'il la serrait contre lui, elle se mettait à faire des vagues, elle s'échouait dans ses bras avec le bruissement de l'eau sur la coque d'un navire. Il ne peut s'écarter de Palma morte en 1983, il ne peut s'écarter de Tadoussac, du Saguenay et des montagnes escarpées du fjord. À soixante-quinze ans, il a tellement navigué dans l'âge, qu'il a perdu la notion de l'espace et du temps. L'étang aux saules, converti en rivière, en fjord et en Palma, l'aide à demeurer en vie. Almanzor se tait.

La Marocaine salue Diane et retire d'une de ses poches, un caillou qu'elle lui donne. Diane se sent particulièrement troublée, elle croit qu'elle se retrouve en face d'elle-même, encore prisonnière, encore cherchant des détails singuliers dans un jardin, encore offrant des pives de mélèze aux inconnus, elle croit qu'elle vient de lancer un dernier «Salut!» à l'infirmière et de quitter sa chambre d'hôpital. Le douzième jour du mois de juillet, le quatrième jour de la semaine, elle attend quelques minutes avant de se prononcer. Elle croit qu'elle est dépassée par la situation.

***

Diane s'est allongée sur le sol tapissé d'aiguilles, dans le sous-bois des pins Cembro. Gilles se couche près d'elle. Ils sont vraiment isolés du monde réel maintenant. Les gardiens ont dû verrouiller les portes d'entrée. Dans l'obscurité, il parvient difficilement à distinguer les traits de Diane. Et ce sourire qu'elle a en achetant une rose ou en rédigeant une lettre qu'elle lui envoie par la poste, ce sourire, ouvrant à peine ses lèvres arrondies, qui semblent murmurer «vous» en plein silence.

Il doit être onze heures. Vous, sur les lèvres de Diane, vous, sous les pins Cembro, vous, dans la chair sombre du soir. Ils marchent, ils effleurent les branches des mélèzes, des épinettes de Norvège et du Colorado, des genévriers du Japon. Gilles sait en ce moment ce qui lui arrive, tant de pays ici, tant d'étoiles chavirent dans la douceur infinie, il sait que les étoiles ne sont plus des étoiles, qu'elles deviennent dans le ciel, des mots qu'il va toucher, comme autrefois à Genève, dans le monde du cristal. Il doit confier quelque chose à Diane. C'est important que ça se passe ici, au jardin, sous les étoiles.

Un châle de lumière lactée enveloppe les chênes et les ormes. Ces trous de mémoire de la nuit. Il errait autrefois dans les rues, dans cette mémoire friable de la nuit. Diane se penche et ramasse un caillou. Gilles se décide et sort de son porte-monnaie une photographie qu'il tend à Diane.

Un trou de mémoire du temps. Avec Diane, il examine le visage de Viviane, sa petite fille née d'une proposition de la fragilité. Le cœur bat parfois à se rompre, le cœur se rompt parfois, la vie c'est comme ça, ça se montre, puis ça s'en va à l'âge de huit ans. Diane lui rend la photo. Gilles se hausse sur la pointe des pieds. Il va toucher les étoiles qui s'étirent en vagues de mots, il va parler. Peut-être va-t-il se noyer: il le sait, l'amour habite dans le voisinage de la mort.

Viviane est décédée il y a deux ans. Il ne pouvait plus rester à Genève. Il l'apercevait dans la rue des Vollandes, dans la rue des Eaux-Vives, dans la rue Gasparin. Il se heurtait à elle, qui se présentait à lui au faîte d'un réverbère ou d'un platane. Aucune rue, aucun platane ne l'oubliait. Il respire mal. Il s'agrippe à une branche du bouleau de Tian-Shan. Deux ans, cela dure longtemps quand une petite fille ne cesse de mourir au-dedans de soi.

Il hoche la tête en réprimant un sanglot. Il se souvient soudain d'un détail singulier. Quand sa fille souriait en écartant légèrement les lèvres, elle semblait, elle aussi, murmurer «vous». Il a envie de crier. Il a envie de la rejoindre. Vous, sous les bouleaux, vous pleurez. Vous, vous êtes généralement vivant pendant que votre petite fille est particulièrement morte. Vous tentez de rire devant une femme qui dépose dans vos mains des pives de mélèze en vous chuchotant: «Nous irons au bord de la mer.»

Toute la chaleur d'un mot. La mer. Il ne sait pas s'il parle ou s'il se tait. Il inventait l'histoire de la mer lorsque Viviane l'invitait à entrer dans la garde-robe. Viviane n'y suspendait pas ses vêtements: elle pensait que des hommes transparents se cachaient derrière les vêtements, elle voulait que personne n'entende le bruit de leurs rêves. Gilles imaginait une flamme bleue dansant sur le ventre de la mer et des mouettes venues du sud de la Terre. Les mouettes se transformaient en violons, en arbres de cristal, en lièvres et en marmottes parcourant une forêt qui se déployait dans le ciel. Les mots tourbillonnaient, les mots étaient heureux, les récifs se creusaient un corps de dinosaure dans la mer, au bord de laquelle ils iraient demeurer bientôt. Viviane et lui fermaient les yeux afin de mieux discerner la couleur des récifs, des mouettes, de la mer et de leur nouvelle maison où ils continueraient d'inventer des histoires.

Oui, Viviane était tout pour lui. Diane hoche la tête; elle comprend, il est tout pour elle. Elle le conduit au ruisseau fleuri. Dans le domaine du possible, la mer coule ici, avec ses vagues d'inconnues: Solange, la Fiancée, Lena Brook Hover, Corinne Wersan et Katherine Fay. Diane se déshabille; elle se déplace ainsi qu'une mouette parmi ces inconnues. Les fleurs disent bien des choses en secret. Il ignore qui, de lui ou de Diane, touche les étoiles. Il sait seulement qu'en ce moment, il a huit ans, il fredonne avec Diane la Symphonie 41, il l'enlace, il valse avec elle, sa femme vertige, dont la chair est une forêt, une source, un ouragan. Elle est tout pour lui.

Un bruit de pas sur le sentier les fait sursauter. Tapis derrière un massif d'hémérocalles, ils surveillent le gardien qui braque sa lampe de poche dans leur direction avant de s'éloigner vers l'allée centrale.

Diane se rhabille. Elle ne mourra pas, elle. Elle soulignera éternellement sa présence avec du vert dans ses yeux. C'est vrai, ce qu'elle affirme, cette nuit, la vie ressemble à Mozart.

***

Gilles recouvre d'un châle bleu les épaules de Diane. Les objets achetés dans des centres d'achats égarent souvent leur origine. Gilles sait, lui, que ce châle provient en réalité d'une histoire racontée à Viviane.

Cette quatorzième matinée de juillet, cette sixième matinée de la semaine, Diane se heurte à un réverbère. Gilles se penche et ramasse un peigne au pied d'un cerisier. Leïla, la Marocaine, les salue. Depuis avant-hier, elle guide des promeneurs parmi les fleurs vivaces. Marie Finon lui a proposé de se joindre à leur groupe puisqu'elle espère découvrir des oasis dans la foule des gestes. Diane hoche la tête. Édith a confectionné de nouvelles fleurs avec les vêtements de ses frères et sœurs; Marie Finon, Martine, Icha et Gilles reçoivent ses bouquets en la remerciant, un éclair de surprise dans les yeux.

Diane hoche la tête à plusieurs reprises. Il y a des jours

où elle hésite à suivre ses amis. Ils rêvent si fort qu'ils ne se rendent pas compte de leur appartenance à la famille des esseulés. Il y a des jours durant lesquels elle perd vraiment de vue le temps. Mais elle ne se laisse pas faire, elle les identifie de manière à ne pas les oublier: le jour des épinettes noires, le jour des enfants irréalisables, le jour de la démence nationale, celui des bateaux de papier.

Qu'est-ce que ça veut dire, «mon amour», quand dans le corps errant, on oscille entre son prénom et celui d'une petite fille, quand on déchiffre avec difficulté son propre nom dans son propre sang? Gilles étreint sa main:

— Viviane, tu viens?

Gilles noue le châle de Viviane autour de la taille de Diane en ce jour du bouleau de Tian-Shan.

Voilà, dans trois semaines, ils se marieront. Voilà, il est gêné et ses longs bras l'embarrassent, il les mettrait dans son chapeau melon si c'était possible. Voilà une rose qu'il a achetée chez le fleuriste, ce matin. Il échappe la rose, puis la lui redonne. Se déclarer, ce n'est pas simple, c'est se prononcer avec des accents d'incertitude et il n'y est pas habitué.

— Pourquoi? Pourquoi aujourd'hui?

Gilles ne répond pas. Diane casse l'élastique retenant ses cheveux. L'an passé, le quatorze juillet, entre les murs blancs d'une chambre d'hôpital, on la dépouillait de son état civil. Elle n'était plus personne. Elle avalait machinalement des comprimés tandis qu'une infirmière l'interrogeait:

— Ça va mieux?

Gilles trace sur l'herbe, avec sa canne, les lettres d'un prénom. Elle hésite à rester ici, aujourd'hui, le quatorze juillet, dans la peau d'une petite fille que Gilles s'obstine à chercher partout. Non, Viviane ne se trouve pas ici.

Diane se lève et s'en va. Il fait beaucoup trop froid ici.

Tout est profondément vrai, tout est profondément faux. Elle n'est plus personne. La mort arrive en courant, Diane se dépêche, elle court avec la mort qui regarde défiler les lilas. Elle n'a jamais fait les choses à moitié. Gilles la rattrape et essaie de l'immobiliser. Une rivière, une fleur, un oiseau, cela n'existe pas. La mer, Charlie Chaplin, les pives de mélèze, les robes de bal vertes, les roses et la Symphonie 41 ne veulent rien dire dans l'état où elle tombe. Lui, il ignore qu'elle tombe, il croit qu'il fait beau, qu'il fait chaud et lui serre les mains. Ce n'est pas vrai, ses mains ne veulent plus rien dire. Une question continue à trembler, seule et gelée dans ses mains: qu'est-ce que ça veut dire, «mon amour»? Mais cette question est enterrée à son tour par des milliers de voix. Son corps s'enfonce dans le brouillard. Elle n'entend plus que des milliers de voix. En elle, il fait toujours Mozart, Dante et Vivaldi, elle ne devrait pas les écouter.

Gilles s'accroche à son châle, lui offre n'importe quoi, la cohabitation, le mariage, Genève ou Montréal. Elle hoche la tête. Elle sait bien qu'elle n'est plus personne, et que maintenant, c'est fini. Elle sait bien que les murs blancs de l'hôpital et le cri de la prisonnière vont revenir. Expliquer Mozart à Gilles ne servirait à rien, il ne comprendrait pas. Elle vit comme ça, avec ces voix-là qui disent que c'est vrai, que c'est faux, que le temps et l'espace, c'est une question d'interprétation. La vie et la mort de ces voix se poursuivent à l'écart des apparences, sous la peau de ceux qui n'imaginent qu'eux-mêmes, dans le corps et le nom qu'on leur a donnés. Elle sait bien qu'à certaines heures, on devient une inconnue appelée par d'autres inconnus qui demandent de l'aide. Elle sait bien que dans les hôpitaux, on ne fait que cela, dire «c'est vrai», «c'est faux».

Elle est allée s'asseoir sur le banc devant le cerisier de Mahaleb, la main gauche plaquée sur sa bouche. Penser qu'aujourd'hui, c'est le jour du bouleau de Tian-Shan, penser que Gilles, debout, près du banc, l'observe. Que faisait-elle autrefois quand elle souhaitait être quelqu'un? Elle salue Martine. Elle salue Leïla. Elle sait bien que c'est fini et qu'elle doit imiter Gilles, et lui inventer une histoire.

Depuis le trente avril, elle lui ment. Elle n'est pas libre. Sa liaison avec Gilbert a été interrompue par son départ. Oui, il est allé travailler sur la Côte-Nord. Deux mois. Oui, il est ingénieur. Un contrat inespéré, beaucoup d'argent. Oui, Gilbert est de retour. Oui, ils ne peuvent plus se revoir. Voilà!

Gilles pâlit. Diane ne cesse de vomir des «oui» en crispant ses mains autour des planches du banc. Il jette sur l'herbe une poignée de pives de mélèze et s'éloigne, les épaules voûtées.

Elle doit retenir en elle un grand cri, penser à l'achillée de Sibérie, à la campanule des Carpathes, à l'adonide du printemps, ne pas penser à Gilles levant les yeux vers le ciel pour y apercevoir Viviane. Elle ne doit pas s'arrêter, elle doit penser à l'asclépiade, à l'adenophora malgré que ce soit fini, penser à la benoite des Pyrénées, à la renouée des Alpes, à la centaurée de Perse, à l'éphémère de Virginie. Oui, elle va trouver la force de se relever. Elle va regagner le contexte de sa chambre. Elle pense à l'épervière orangée, à la véronique argentée, à la clématite crispée car il suffit parfois de répéter le nom des fleurs pour faire taire la part d'hôpital qui hurle en soi.

Elle a réussi à introduire la clef dans la serrure, elle a réussi à se rendre chez elle. Elle secoue la tête. Ce n'est pas vrai, chez elle c'est ailleurs, chez elle c'est chez lui.

***

Il va partir demain. Il aurait dû partir dès qu'il a reçu le télégramme lui annonçant le décès de sa mère. Il se met à parler très fort. Des Montréalais et des touristes l'épient. Il franchit la distance entre lui et Édith en s'appuyant sur sa canne. Il va tomber, c'est sûr, dans un précipice, c'est sûr. Édith lui rend la photographie sur laquelle un chat s'enroule autour du cou de Viviane. Il ne comprend pas ce qu'Édith raconte. Le vertige lui fauche les jambes, il doit partir.

S'il pouvait respirer dans la garde-robe de sa chambre louée à la semaine. S'il pouvait oublier ce qu'a grommelé Diane, s'il pouvait dormir. On respire très difficilement lorsqu'on naît d'une proposition inexacte dont les termes ferment la porte à la clarté du jour. Il la voit. Il parvient à respirer, à interroger Viviane. Mais c'est toujours comme ça, Viviane ne lui répond pas, Viviane ne bouge pas. Il assure qu'il l'aime infiniment. Mais Viviane examine fixement le plafond. Ce n'est pas possible.

Le quatre février 1979, à l'aube, une infirmière tient un bébé dans ses bras. Elle explique à Gilles que l'enfant souffre d'une maladie de cœur. Sa fille, une chose aussi petite, une chose aussi réelle, il la colle contre sa poitrine. Elle est tellement belle! Elle s'agite; elle est née d'une proposition de la fragilité. Sa femme Corinne s'est suicidée peu après le premier anniversaire de Viviane. Lui, il s'est accroché au restant de l'humanité, il a continué sa route en renversant des tasses de café et en hochant la tête. Il s'est accroché à Viviane. Elle a grandi à la manière des perséides, une étoile filante en péril.

Quand elle avait voulu un chat, Gilles lui en avait déniché un, chez un voisin. Elle avait cinq ans, elle berçait Adelbert qui se pelotonnait contre elle en ronronnant. Lui, il devenait un chat. Il miaulait. Il riait. Il l'appelait sa douce, sa fleur, sa rivière, son oiseau.

Sur le plancher de la cuisine, Adelbert, Viviane et lui marchent à quatre pattes et se pourchassent en feulant. Viviane se redresse: elle entraîne Gilles dans la garde-robe de sa chambre où il lui invente l'histoire de la lumière bleue. Une flamme danse sur le ventre de la mer. Il n'a plus peur de ce qui pourrait arriver. Elle sourit quand les récifs s'éveillent, n'en revenant pas d'être des dinosaures. Viviane écoute, elle exige des précisions sur le nombre de mouettes dans le ciel, sur le nombre de poissons dans l'eau, sur la couleur de leurs écailles. Cela se passe dans un pays nommé «toujours». La lumière chante et rit dans ce pays. Elle a la voix de Viviane et une longue chevelure bleue qu'elle ne peut pas démêler. Ce sont les baleines qui peignent les cheveux de la lumière avec les rayons du soleil.

Gilles mettait de l'argent de côté. Bientôt, la mer ne serait plus enfermée dans une histoire. Ils iraient demeurer au bord de la Méditerranée. Viviane souriait, elle toussait, elle s'étouffait, elle s'effondrait parfois sur le plancher de la cuisine. «Il faut s'y attendre, disait le médecin. Il faut s'attendre à tout. » Et lui, il apportait des iris à Viviane, sa fleur, sa rivière, sa mouette qu'il aimait infiniment. Elle berçait Adelbert, rien ne pouvait lui arriver. Elle construisait des châteaux de cartes, elle se déguisait en dinosaure, rien ne pouvait lui arriver.

Viviane a huit ans, aujourd'hui. Gilles se prépare à lui donner son cadeau de fête: un billet d'avion. Ils vont partir demain dans cette maison achetée en Grèce. Il l'appelle. Elle ne répond pas. Viviane doit dormir, mais Viviane n'est pas dans son lit, ni dans la cuisine, ni dans le salon. Il entrouvre la porte de la garde-robe de sa chambre. Elle s'est endormie là. Il la soulève dans ses bras. Il tente de la réveiller. Viviane ne répond pas. Viviane ne bouge pas.

Il se dit qu'ils vont partir demain. Les yeux de Viviane fixent le plafond. Il observe les mains de sa fille. Il ne peut pas croire ces doigts raidis de froid. Il ne peut pas croire que sa fille, sa fleur, sa rivière, son oiseau, les ait oubliés ici, lui et Adelbert. Le chat lèche les joues de Viviane. Gilles se dit que la vie, ça n'a pas de sens. Il caresse les joues glacées de Viviane. Ce n'est pas vrai, la mort ne peut pas avoir trouvé sa place dans le corps de Viviane. Il ne cesse de lui poser des questions. Quelle heure est-il? Quel jour, mon amour? Viviane ne répond pas. Viviane ne bouge pas. Il la serre contre lui. Non, ce n'est pas vrai, la mort, c'est une histoire inventée dans une garde-robe. Viviane va se remettre à parler, à exiger des précisions sur le nombre de mouettes dans le ciel, sur le nombre de poissons dans l'eau. Gilles se tait. Il va attendre quelques minutes avec Adelbert. «Il faut s'y attendre. Il faut s'attendre à tout», affirmait le médecin. Il croit que la réalité lui échappe et que, dans quelques minutes, la réalité va revenir. Il pose encore des questions à Viviane, il lui demande encore de cesser d'exister tout bas comme ça. Il n'y a plus de lumière ici, sans elle. Ne voit-elle pas dans le miroir, cette neige qui coule de ses yeux, ne voit-elle pas cette nuit sans étoiles sur son visage? Il dépose Viviane sur le lit.

Toutes sortes de gens clament en lui qu'il fait beaucoup trop froid ici. Il s'écroule, dans le vide, dans la mort immense. La mort, c'est comme ça, des doigts très écartés les uns des autres et des prunelles vitreuses.

Seul dans la garde-robe de sa chambre louée à la semaine, Gilles a encore perdu quelqu'un aujourd'hui, Viviane ou Diane. Il a mal partout. La mort hoche la tête, elle sourit, elle paraît murmurer «vous». Il croit que la mort, c'est simplement une question d'interprétation.

***

Gilles s'évertue à compter le nombre de mouettes dans un ciel imaginaire. Il souffle sur des récifs, sur de la lumière bleue. Il crie parfois que ce n'est pas possible. Marie Finon, Clément et Édith viennent souvent s'informer de son état de santé. Depuis le dix-huit juillet, Diane veille sur lui. Elle se souvient vaguement que pendant quatre jours, tout avait été profondément vrai, profondément faux, dans la chambre sans Gilles, habitée uniquement par des voix discordantes. Elle se souvient vaguement qu'au matin du dix-huit juillet, elle avait entendu la sonnerie de la porte d'entrée. Préoccupée par leur absence, Marie Finon s'était d'abord rendu chez Gilles. Elle l'avait abordé poliment, s'était vite aperçue qu'il ne tenait debout que par miracle. Il n'avait pas mangé, ni dormi ces quatre derniers jours. Elle l'avait aidé à s'habiller puis elle avait téléphoné à un taxi afin de le conduire chez Diane. Celle-ci se souvient vaguement qu'elle avait accepté de s'occuper de lui.

Il ressemble en ce moment à un prisonnier qui joue avec sa bague de fiancé. Il cherche sa canne. Péniblement, Diane lui avoue qu'elle lui a menti: elle ne connaît aucun Gilbert. Gilles palpe son visage et croit qu'ils vont recommencer à s'aimer. Elle n'en est pas certaine.

Elle lui offre une pive de mélèze. Il sourit. Elle revêt sa robe de bal mais la vérité a déserté ses gestes, elle assiste à un spectacle et ne s'y reconnaît pas. Elle n'est pas certaine de vouloir demeurer dans le contexte de la chambre, pas certaine de vouloir écouter le personnage qu'elle est devenue. Elle ressemble en ce moment à une chose sans mémoire, à une prisonnière. Gilles recouvre ses épaules d'un châle bleu. Elle fronce les sourcils. Sur la table, traîne un calepin. Elle le prend et lit plusieurs phrases. Pourquoi s'est-elle mise à pleurer? Un personnage, ça ne pleure pas vraiment. Aujourd'hui, le premier août, elle va interpréter le rôle de Viviane.

CHAPITRE 8

Leïla remet à Diane une poignée de cailloux. Gilles s'assoit sur le banc, devant le cerisier de Mahaleb. Il salue Martine. Diane rejoint Clément, Édith, Marie Finon, Icha et Leïla avec qui elle guidera des inconnus dans le jardin.

Il suffit d'une seule épervière orangée pour que refluent en soi la beauté et l'immensité du monde. Diane fredonne la Symphonie 41 en frôlant les pétales de cette fleur. Elle se détourne: Clément griffonne dans son calepin tandis qu'une inconnue le harcèle de questions. Pourquoi cette fleur se nomme-t-elle centaurée de Perse? Pourquoi appelle-t-il «pyramide du Nil», la célosie dont les plumeaux d'un rouge écarlate brillent avec fierté, telle qu'il la décrivait tantôt? Pourquoi écrire dans ce calepin? Clément répond qu'il consolide son expérience de botaniste en rédigeant ces notes. À chaque instant, il découvre du nouveau chez les fleurs. Édith, dans l'allée voisine, explique à une Française les origines et les mœurs de la renouée des Alpes. Marie Finon, superbe dans sa robe du premier août, s'extasie devant la potentille d'Asie et dévoile à sa protégée les secrets de la pulmonaire, celle qu'on désigne aussi sous le nom de «larme-de-Marie».

Diane accoste, à son tour, une femme obèse, dans la cinquantaine. Elle lui parle des héliopsides, ces soleils d'été, qui attirent les papillons. Une hirondelle aux ailes repliées se débat dans les doigts de cette femme; elle est accompagnée d'un enfant muet et d'un vieillard déroulant une pelote de laine. La femme obèse est sortie récemment de l'hôpital Louis-Hippolyte Lafontaine et croit être la Pompadour. C'est une question d'interprétation.

Durant l'après-midi, Diane a présenté diverses familles de fleurs à plusieurs personnes. Elle a transcrit des comparaisons dans son calepin. Elle dévisage Gilles: il est revenu vers celui qu'il était. Elle-même n'est plus un personnage. Il suffit parfois d'une épervière orangée pour ressaisir l'importance du monde. Elle sourit: Gilles confectionne un bateau de papier avec Almanzor; son prénom se berce sur l'eau de l'étang aux saules; elle sourit: Gilles chante avec Icha une berceuse de Violeta Parra.

Il lui raconte maintenant qu'il a passé deux heures avec Martine, oui, deux heures avec des phrases inattendues, modulées par une voix brisée. La mère de Martine répétait inlassablement que c'était lourd, de s'occuper d'une handicapée, et qu'il faudrait bientôt la ramasser à la petite cuillère tellement elle était fatiguée. Martine, n'ayant entendu que ces mots-là, était convaincue qu'elle devrait ramasser avec une petite cuillère, les gens s'approchant d'elle, car ceux-ci ne pouvaient éviter de s'épuiser en l'abordant. Le martèlement de la cuillère sur le banc les prévenait de s'éloigner.

Gilles et Diane s'accroupissent sur l'herbe. Édith et Clément se joignent à eux. Les reflets du soleil couchant bâtissent une cathédrale dans l'étang aux saules. Ils distinguent des murs, des piliers, des lustres et un clocher recouverts d'une fine poudre dorée. Ils se taisent. Clément caresse la figure d'Édith dont les prunelles luisent. Les événements et les fleurs d'une journée peuvent soudain se mettre à battre, comme s'ils avaient tissé la peau de ce jour, comme s'ils s'étaient glissés derrière cette peau pour devenir le cœur de ce jour.

Sur le lit, leurs corps roulent et chavirent, perdent le sens du temps. Sur le lit, leurs corps inventent une cathédrale aperçue dans un étang, inventent des potentilles d'Asie, des épervières orangées, des héliopsides et des centaurées de Perse, inventent des pays dans lesquels ils s'en vont en se buvant, en se mordant et en se griffant. Leurs corps emmêlés disent le commencement des choses, le vertige s'écoulant de la matière égarée dans la nuit des temps. Il y a du vent, des sapins et des mélèzes dans la nuit des temps, il y a des siècles de douceur et de fureur, il y a des siècles qu'elle l'attend. Diane assure qu'ils se sont rencontrés dans la nuit des temps. Gilles la presse contre lui et murmure qu'elle est un drôle d'oiseau, un peu fou, terriblement tentant. Il l'embrasse, leurs corps s'enfoncent encore dans la blancheur du temps, puis se retrouvent encore sur un lit, dans le contexte d'une chambre.

Diane effleure le visage de Gilles. Elle sourit. Elle lui demande le monde entier. Il la prend au mot: cette nuit, il lui offrira les étoiles.

Ils ont troué leurs jeans en franchissant la clôture du jardin. Ils s'avancent jusqu'aux saules bordant l'étang. S'assoient sur l'herbe. Ils lèvent les yeux vers le ciel mangé par le grand sourire des étoiles. Gilles tend le bras: il lui donne ce ciel et ces étoiles. Gilles montre à Diane le châle oublié par la lune sur les branches des arbres: il lui donne ce châle magnifique, les hémérocalles longeant le ruisseau fleuri, et aussi le monde entier. Oui, Diane en est certaine, ils ont cinq ans. Quand on atteint cet âge, en pleine nuit, la vie s'appelle Mozart.

Gilles et Diane déclinent à tour de rôle leur identité, leur adresse et leur occupation. Ils relatent leurs faits et gestes durant la nuit du deux août. Un magnétophone enregistre leurs paroles. Après avoir fait l'amour, l'idée leur est venue d'aller se promener au jardin botanique. Ils s'y sont endormis. Un gardien les a sortis du sommeil. Ils ne se sont pas introduits dans les serres, la sculpture des amoureux est demeurée sur son socle, ils n'ont pas volé les étangs, ils n'ont pas arraché une fleur et n'ont rien à se reprocher.

Le chef de police les qualifie de rôdeurs. Dans les années soixante, les rôdeurs allaient jusqu'à déposer des bombes dans les boîtes aux lettres; à la fin des années quatre-vingt, ils ont sans doute sophistiqué leurs méthodes. Ils ont élargi leur champ d'action aux jardins. Le chef de police examine leurs jeans déchirés et triture les pièces à conviction posées sur son bureau: de l'herbe, des cailloux et des pives de mélèze. Il exige la vérité. Ils ont cinq ans, c'est la vérité, mais ils n'osent la proférer à voix haute, ni même à voix basse.

La fumée du cigare du chef de police les emprisonne dans des serpents de volutes embrumées. Il exige de plus en plus fort la vérité en assénant des coups de poing sur son bureau: ils ont dû commettre un vol, un meurtre. Leur culpabilité est inscrite sur leur visage, il a l'habitude des coupables. Il consulte un manuel de criminologie et énumère les traits typiques des coupables: la barbe non rasée, la chevelure ébouriffée et des jeans déchirés. L'affaire n'est pas classée, les rôdeurs doivent se mettre à table.

Gilles l'interrompt: peut-il téléphoner à son avocat?

Marie Finon s'est manifestée dans sa verte splendeur, une robe de circonstance avec des motifs d'arbres et de canards, une demi-heure plus tard. Elle aborde poliment le chef de police en lui apprenant qu'il y a quarante ans, elle était botaniste, qu'il y a trente ans, elle était médecin; à cinquante ans, elle a terminé ses études de droit. Voilà, elle fait partie de l'Association des botanistes, de l'Ordre des médecins, de la Corporation des psychanalystes et du

Barreau. Elle aligne sur le bureau du chef de police les cartes confirmant sa respectabilité. Lorsqu'elle émet une opinion, les botanistes, les médecins, les psychanalystes et les avocats l'honorent de leur confiance absolue.

Œdipe n'est plus roi, monsieur le commissaire, les médecins opèrent maintenant au laser et les techniques en matière d'assassinat ont évolué, oui, monsieur le commissaire, les choses ont bien changé. Dans notre temps, le revolver et la mitraillette étaient rois mais ce n'est plus du tout comme ça, c'est triste, les choses ont bien changé. Marie Finon a de la braise dans les yeux, elle a vingt ans en s'apitoyant sur le sort de monsieur le commissaire. Ah! si Cyrano n'avait pas oublié Roxane, si Samuel Beckett ne nous avait pas avertis que cela se produirait, si on pouvait encore s'exclamer, juste à voir une fourmi: «Oh! le beau jour!» C'est terrible, n'est-ce pas? C'est terrible d'avoir oublié les fourmis. Le chef de police balbutie.

Voilà, elle va pénétrer dans le vif du sujet, voilà, son petit-fils et sa petite-fille sont entrés malgré eux dans la génération désespérée. Sûrement monsieur le commissaire comprend, cette génération a eu le souffle coupé par la course aux armements, par l'éclatement de la famille, par la crise économique permanente et les innombrables dégâts écologiques. Des rôdeurs, se permet d'avancer monsieur le commissaire. Bien sûr, des rôdeurs, monsieur le commissaire. Ils cherchent Œdipe, Cyrano, Roxane, ils cherchent des beaux jours et de l'air. En tant que grand-mère, elle a aidé ses petits-enfants au souffle coupé, elle les a bien conseillés. Monsieur le commissaire comprendra qu'elle leur ait suggéré de prendre l'air, la nuit. Les désespérés ont besoin d'oxygène.

Le chef de police se ronge les ongles; il boit trois tasses de café d'affilée et approuve l'intarissable Marie Finon. Les choses ont bien changé, réussit-il à glisser. Marie Finon lui serre la main. Il faudrait semer des fleurs, des cyprès, des chats, des orignaux et des chevreuils dans la vie des gens, lui confie-t-elle. Il aime la chasse. Il comprend.

Un second policier au ventre rebondi surgit dans la pièce, déclarant qu'une femme a été poignardée dans son domicile de la rue Laurier. Marie Finon gémit. Elle assure que cette femme aurait dû prendre l'air plutôt que de rester chez elle. Elle assure que Cyrano doit retrouver la mémoire, il faudrait aller réveiller Freud, Wilhelm Reich, Jung et Edmond Rostand, tant qu'à faire. Le chef de police se gratte le pavillon de l'oreille gauche qui écoute Marie Finon et le policier rondouillet. Un policier chétif, apparu brusquement, ose à peine murmurer qu'il a poursuivi deux voleurs, des adolescents, qui ont assommé le propriétaire d'un dépanneur.

Marie Finon poursuit en soulignant les mérites des jardins, des fleurs et de l'oxygène. Monsieur le commissaire comprendra que les choses ayant changé, les méthodes d'éducation devraient progresser. Madame Montessori est dépassée; l'avenir appartient au frère Marie-Victorin. L'heure est venue de penser à l'éducation des futurs propriétaires et des futurs voleurs de dépanneurs, l'heure est venue de les élever dans des jardins.

Le chef de police remet à Marie Finon ses preuves de respectabilité. Elle peut partir avec ses désespérés. Il se répand en excuses et en bafouillements. Il ajoute qu'il n'a pas l'habitude des désespérés, seulement l'habitude des coupables, il ajoute qu'il ne sait plus ce qu'il dit. Marie Finon lui serre de nouveau la main et compatit à ses problèmes: combien d'hommes n'a-t-elle pas secourus, étendus sur un divan, de pauvres hommes pareils à lui qui ne savaient plus ce qu'ils disaient?

Gilles et Diane applaudissent Marie Finon, devant la porte du poste de police. Elle s'exclame: «Mes sacripants! Oh! la belle nuit! merci, monsieur Beckett!» Puis elle les invite, avant de retourner chez elle, à aller s'oxygéner ailleurs, ça pue le cigare, dans les postes de police.

***

Gilles ne trouve plus de mots dans le contexte de la chambre: Diane vient de lui apprendre qu'elle attend un enfant. Il attend lui aussi, il attend quelques minutes avant de se prononcer. Il croit que l'enfant aura des yeux de forêt, il croit que leur petite fille naîtra d'une proposition formulée par les iris et les ancolies d'un grand jardin.

Ce matin, il prépare le déjeuner. Il a acheté une bouteille de champagne, des croissants, une minuscule paire de bas, une minuscule paire de souliers, et trente roses chez le fleuriste de la rue Adam. Haletant, il casse des œufs dans la poêle. Il se sent bête et heureux, tout simplement. Diane se moque de lui: du jaune d'œuf coule sur sa chemise. Il suffit parfois d'une seconde pour qu'un visage devienne le bonheur. Gilles est ébahi devant le visage de Diane qui cache celui de sa petite fille.

Ils ont flâné dans l'appartement tout l'avant-midi. Cet après-midi, ils se mettent au service des touristes, étonnés de la générosité du Conseil municipal de la ville de Montréal. Gilles fredonne la Symphonie 41 à une dame obèse qui prétend être la Pompadour. Il ne rit pas. Les femmes aux cheveux gris, demandant à la vie de quel côté elle s'en est allée, parsèment leur conversation de «bien sûr» dans les postes de police, et cela peut arriver à n'importe qui, de se rendre très loin, jusqu'aux confins de soi. Bien sûr, on peut rencontrer la Pompadour ou Montesquieu, aux confins de soi. Lui, Gilles, si bête et si heureux, il ne fait que se croiser aux confins de lui-même. Il s'agenouille, cueille une digitale pourpre digne de trembler entre les doigts de la Pompadour. La dame obèse s'éloigne en faisant des vocalises, peut-être se déguise-t-elle en cantatrice.

Oui, une drôle de journée, bête et heureuse. Il a négligé de prendre des notes dans son calepin. Almanzor range des feuilles de papier dans un cartable. Martine fait semblant de ramasser, avec sa cuillère, Édith et Clément qui se sont assis près d'elle. Leïla édifie des monticules de cailloux s'écroulant sur l'herbe. Diane palpe son ventre avec tendresse. Icha et Marie Finon froissent l'ourlet de leur robe sur lequel c'est écrit: «Marie Finon». Édith caresse la tache-de-vin sur la joue de Clément. Autour de l'étang aux saules, c'est comme s'ils formaient un cercle pour accueillir la beauté muette à la lisière du soir, la beauté d'une cathédrale inventée dans l'eau par le soleil couchant. Leurs silences s'épousent jusqu'à la moelle du nuage couché dans les doigts de leurs silences. Ils voient frémir le ciel, des goélands et des canards aux ailes rougies par le soleil couchant naviguent dans les profondeurs du ciel.

***

Ce matin, un chat bondit sur la chaise, hume l'odeur du chapeau melon, saute par terre et fait ses griffes dans la commode de la chambre. Gilles l'a ramené hier, tard dans la soirée, et l'a surnommé Adelbert. Il est parti au centre d'achats. Diane ouvre la radio. Gilles entre sans sonner et lui bande les yeux. L'objet dont elle tâte les contours ressemble à un cheval ou à un cerf. Les petits chevaux, les petits cerfs en peluche échappent-ils au temps? Elle voudrait rire. Elle se tourne vers Gilles, vers le chat, vers le cheval en peluche, elle voudrait relier les fils d'un instant complètement oublié par le temps.

Gilles avance sur le trottoir. Il est magnifique avec ce chapeau melon sur la tête. La mer et le ciel s'étalent sur son visage. Il prête parfois son visage aux oiseaux, aux fleurs, aux rivières et à la terre entière. L'amour n'est pas une question de temps, l'amour est une question d'espace. Diane se rend compte que le jardin a changé, le jardin s'habille de franges de clarté qu'elle conçoit peut-être avec Gilles. Ce quatrième jour du mois d'août, ce sixième jour de la semaine, elle ne rêve pas, la vie, c'est comme ça, de l'or dans les prunelles de Gilles, de l'or sur les bégonias, sur les hémérocalles et sur les heuchères sanguins.

Gilles l'a embrassée. Il discute avec Clément pendant qu'elle guide une aveugle vers les balisiers. Elle ne rêve pas: les doigts de l'aveugle, sur les pétales des balisiers, se couvrent d'un châle translucide. Et l'aveugle murmure que c'est merveilleux, pouvoir toucher des astilbes, pouvoir encore toucher des dahlias. Elle ne rêve pas, les mains frêles et humaines se meuvent et creusent des nids dans l'espace, qui est une question d'amour.

Elle croit que maintenant peut vraiment être maintenant avec Gilles, Marie Finon, Édith, Leïla, Clément, Icha, Martine et Almanzor rassemblés près de l'étang. Elle serre la main de Gilles, elle serre la main d'Icha, elle serre ce qu'il y a d'humain et de frêle dans leurs mains. Les saules versent du silence vert sur eux tous qui contemplent une cathédrale bâtie par le soleil couchant dans l'étang. Muets, assis sur l'herbe, ils créent un cercle pour recevoir la douceur anonyme qui les emmêle, leur noue les mains et le cœur. Il n'y a rien à dire que le vertige de cet instant oublié par le temps. Ils ne s'appartiennent plus.

***

Gilles entoure la taille de Diane. Le matin, elle achète une rose puis regarde se déployer sur les murs les racines enchevêtrées des choses. Il l'aime en particulier à cause de ces liens qu'elle imagine dans le contexte de la chambre et de l'appartement. Il chuchote qu'il fait beau, qu'il fait chaud en longeant avec elle le trottoir du boulevard Pie IX. Il se heurte à un passant. Il se cogne à un réverbère. La vie, c'est comme ça, bondée de passants et de réverbères. La vie, c'est Diane qui hoche la tête et qui lève ensuite les yeux vers le ciel.

La lumière chatoyante du jardin plonge les fleurs, les arbres et les promeneurs dans un état voisin de l'ivresse, ils deviennent vastes, ils deviennent le bonheur. Gilles caresse le ventre de Diane. Elle porte leur enfant, elle porte une étoile. Il entraîne Diane là où les mélèzes, les pins et les sapins dégoulinent de résine.

Devant les épinettes de Norvège, Diane salue Gilles. Oui, elle le voit pour la première fois. Le temps, c'est une question d'interprétation. On voit constamment quelqu'un pour la première fois car ce quelqu'un, qui que ce soit, se modifie au gré des rivières, de la végétation, des papillons et des oiseaux qui se succèdent en lui. Le bonheur dépend de tant de faits accomplis, fluides et fugitifs: d'une nuée d'hirondelles, d'un voile de cônes blancs sur un sapin ou des coulisses de résine sur un mélèze. Ils se redressent et s'examinent. Cette seconde les confond, cette seconde durera éternellement, avec cette immense légèreté et ce chant de l'univers sur leurs visages graves.

Ils sont revenus vers Clément, Édith et Marie Finon qui s'affairent près des rangées de fleurs vivaces. En ce moment, Diane fredonne la Symphonie 41. Le feuillage des érables reluit, des écureuils se pourchassent, deux geais bleus se posent sur la branche d'un poirier, c'est le plein été. Gilles a écrasé son chapeau melon tombé sur l'herbe. Il a soufflé «je t'aime» à une Montréalaise qui s'est interposée entre Diane et lui. Stupéfaite, la Montréalaise l'a traité de demeuré, de dérangé! C'est vrai: il est demeuré là-bas, dans l'immense légèreté de l'univers durant cette seconde éternelle; c'est profondément vrai: il se sent dérangé en plein été, il se prend pour le complice d'un été qui durera l'éternité. Oui, cette lumière envahissant le jardin doit venir de l'idée qu'il se fait de Diane.

Les hémérocalles s'ouvrent le matin, elles meurent le soir même. Gilles déclame à une vieille dame ce qu'il sait de ces fleurs, appelées aussi belles-d'un-jour et lis des gueux. Il va saisir ce geste qu'elle ébauche, ses mains effleurant les pétales. Mais il ne peut plus bouger. Cela se produit toujours ainsi, le murmure du bonheur en lui se transforme en fracas, il est parcouru de la tête aux pieds par le vertige: peut-être la mort arrive-t-elle comme ça, en s'agrippant à la robe de soie d'une vieille dame?

La vieille dame l'aide à s'asseoir sur un banc. Il croit qu'elle a dû mettre sa plus jolie robe de soie, aujourd'hui, le cinquième jour du mois d'août, le septième jour de la semaine. La vieille dame l'interroge: «Vous êtes malade?» Il attend quelques minutes avant de répondre, il croit que les rides ont des arrière-pensées car elles tracent un petit lion sur la joue de la vieille dame. Il a terriblement peur. Cette douleur poignante au cœur. Cette sueur sur son front, ce n'est que de la peur en général. La vieille dame a trempé son mouchoir dans l'étang et asperge d'eau son visage. Il la remercie en bégayant. Dire à voix haute qu'il est né à Genève, avec un cœur déjà usé, dire qu'il est obligé d'avaler du temps en comprimés, dire qu'il va souvent acheter du temps dans les pharmacies des centres d'achats. Des gens se retournent et l'épient. Martine, poursuivie par un adolescent, se précipite vers lui. Le garçon accuse la débile de lui avoir volé son calepin. Gilles offre le sien à Martine qui va imiter Édith, Clément et Marie Finon, et dessiner le sens de la vie dans un calepin.

Tout est profondément vrai. Tout est profondément faux. Cette clarté dans le jardin, ce collier dans la poche de son pantalon. Sur le banc, devant le cerisier de Mahaleb, Martine ramasse avec sa cuillère les touristes qui s'approchent d'elle. Diane sourit. Elle a noté plusieurs comparaisons dans son calepin. Sa main s'étire sur le front de Gilles. Lui, ce n'est plus vraiment lui. Il a fabriqué un collier avec des pives de mélèze, ce matin, et il le dépose autour du cou de Diane.

Ils ont marché jusqu'au bois de bouleaux sans s'en rendre compte. Gilles n'est plus certain de rien: des étoiles chavirent dans le feuillage des bouleaux et des catalpas. Sa femme falaise, sa femme forêt, sa femme sourit et le relie encore au restant de l'humanité. Lui, il tremble, il n'a jamais cessé de trembler devant l'immensité. Sa canne lui sert de point d'appui sur la terre mais il suffit que Diane se penche et casse des tiges de foin avec lesquelles elle flatte son front, pour que l'immensité surgisse devant lui.

Gilles est maintenant complètement dépassé par la situation. C'est irréfutable, sur l'herbe ceinturant l'étang, gît le corps d'une noyée. Une robe rouge. Clément pleure. Il embrasse les bracelets entourant les poignets d'Édith. Un photographe lui enjoint de s'éloigner. La police, en cas de suicide ou d'assassinat, doit prendre des photos du cadavre sous divers angles. Clément se relève et lèche machinalement la tache-de-vin sur sa joue. Une fois le photographe reparti, Marie Finon s'agenouille près d'Édith; elle aborde poliment la mort en caressant le visage que celle-ci a séduit, à quatre heures, cet après-midi. Martine enlève son châle et en recouvre la poitrine d'Édith. Personne ne trouve la force de parler. Le temps et les mots ne sont plus de leur côté. Autrefois, le cinq août, à quatre heures de l'après-midi, la mère d'Édith photographiait sa fille. Édith s'est perdue dans les pensées de sa mère, elle s'enveloppe de mort, elle tient dérisoirement un heuchère sanguin que vient de glisser Clément entre ses doigts, elle tient un faux-semblant de liberté entre ses doigts.

La mort, c'est comme ça, une femme incapable de répondre à un homme incliné au-dessus d'elle. Un homme seul s'allonge sur sa femme prairie, sur sa femme neige, sur sa femme épinette. Elle était tout pour lui, elle était sa vie. Clément ne veut pas que les gardiens l'arrachent à sa vie. Il ne veut pas que Marie Finon et Icha le reconduisent chez lui, il ne veut pas abandonner sa femme, sa vie, à des brancardiers. Il hurle qu'il ne veut pas, tandis que des employés de la ville de Montréal l'immobilisent.

Personne ne trouve la force de parler. Marie Finon serre la main de Clément. Martine hèle un brancardier et revient avec une photographie détrempée qu'elle donne à Clément. Diane respire avec difficulté. Gilles l'entend mal. Sa canne le supporte, il fume une cigarette afin de ne pas avoir les mains vides: partout, devant lui, s'étend le vide, partout, des clochards se balancent et défilent dans le vide. L'un des gardiens lui demande: «Vous connaissiez la noyée?» Il entend mal, le gardien insiste: quelqu'un doit se présenter à la morgue, quelqu'un doit remplir cette formalité: reconnaître officiellement Édith. Il hoche la tête. Diane mord la peau de son bras gauche. Leïla raccompagnera Diane à l'appartement; elle a l'habitude des gestes et des gens qui deviennent des déserts.

À la morgue, Gilles décline l'identité de celle qui désirait faire parler les fleurs: Édith Savard, âgée de quarante-six ans, célibataire et assistée-sociale, née à St-Prime le cinq août 1943, d'une proposition du silence.

CHAPITRE 9

Deux bateaux flottent sur l'étang. Clément et Almanzor en fabriquent plusieurs autres sur lesquels ils écrivent les prénoms: Édith et Palma. Clément se redresse et regarde voguer sur l'eau sa femme prairie, sa femme neige, sa femme épinette, si fragile maintenant, juste une aventure de papier. Il montre des photographies à Almanzor. Les bracelets rouges d'Édith s'impriment dans la chair des poignets de Clément. Le dixième jour du mois d'août, le cinquième jour de la semaine, la vie ne tient plus debout. En réalité, Gilles et Diane devraient se lever, s'éloigner des saules et serrer les mains des étrangers.

Diane souhaiterait porter un chapeau melon, s'appuyer sur une canne, cela l'aiderait sûrement. Dormir, retourner à l'appartement, demeurer ailleurs où elle ne rencontrerait personne. Surtout pas cette femme qui s'accrochait autrefois désespérément à la pensée que son existence dépendait du simple fait de saluer des inconnus. Marie Finon assure pourtant qu'il faut continuer, qu'Édith, trompée par les jeux de lumière sur l'étang, a pénétré dans une cathédrale. C'est une question d'interprétation.

Il y avait eu cette brûlure dans sa poitrine, devant Édith inerte sur l'herbe, devant ce détail singulier, cette bouche tordue sur le visage d'Édith. Mais il y avait, plus loin encore dans sa poitrine, les murs blancs d'un hôpital et les conseils des infirmières, vêtues aussi de blanc. Les bruits de la douceur et de la fureur se déversaient en elle au même instant, elle se bouchait les oreilles avec de la ouate, avec des kleenex, avec des morceaux de sa jaquette déchirée. Des infirmières lui attachaient les bras. Elle se berçait sur un lit; en réalité, elle ne se berçait pas sur un lit puisque ses bras et ses jambes ligotés ne pouvaient plus bouger, elle se berçait dans l'idée de se bercer sur un lit pendant que les fous et les médecins de l'hôpital entraient et couraient dans son corps à elle, pendant que la douceur et la fureur tonnaient dans sa nuit à elle. C'était vrai, c'était faux au même instant. Les médecins et les infirmières ne pouvaient apercevoir Mozart, ni la foule derrière sa peau. Son corps n'était plus qu'un chemin passant, pour n'importe qui.

Le corps n'était qu'une longue hésitation, n'était qu'une question d'interprétation, Diane l'expliquait aux médecins qui ne comprenaient rien. Une question reprise par la foule entrée en elle. Les médecins l'approuvaient gentiment, les médecins s'examinaient: elle délirait. Le temps ne pouvait ramener en chacun ceux qui étaient déjà morts.

Diane sursaute: Gilles affirme que ça va bien. Depuis

le suicide d'Édith, ils ne sont parvenus à échanger que des formules usées. Elle lui répondrait bien, si elle n'entrevoyait cette silhouette familière qui s'avance vers elle:

— Ça va mieux, Diane?

Elle répondrait à l'infirmière si Gilles ne tendait pas la main à celle-ci:

— Vous connaissez Diane?

L'infirmière insiste. Elle connaît Diane. Elle ajoute:

— Venez faire un tour à l'hôpital. On sera content de vous revoir.

Happée par le flot des visiteurs, l'infirmière a disparu. Gilles s'enquiert de cet hôpital dont parlait l'infirmière. Diane murmure qu'elle a travaillé durant un an à l'hôpital Maisonneuve où elle a balayé, nettoyé des planchers et changé des lits.

Cet homme près d'elle n'est pas vraiment cet homme près d'elle. Il sourit avec des lèvres qui ne lui appartiennent pas, il va acheter deux billets d'avion, il va partir avec elle au bord de la mer. En Grèce, ils auront une maison. Et cet homme près d'elle n'est pas vraiment cet homme près d'elle, il prête ses lèvres à n'importe qui, tout est profondément vrai, tout est profondément faux.

Y avait-il des oiseaux, des dahlias, des hémérocalles et des étangs dans ce qu'on appelait le jardin? Elle n'en était pas certaine. Il y avait encore cette autre brûlure dans sa poitrine, cette manière de songer qu'elle était née d'une proposition de l'inexactitude. Elle venait de tomber. Elle fixait cet homme qui achevait d'interpréter son rôle en achetant deux billets d'avion et une maison avoisinant la Méditerranée. Elle se relevait. Elle voulait s'échapper, les mots fonçaient dans tous les sens, elle hurlait qu'elle, ce n'était pas vraiment elle, que lui, ce n'était pas vraiment lui. Il croyait qu'elle ne devait pas hurler. Elle savait pourtant qu'il y avait et qu'il y aurait toujours cette brûlure dans sa poitrine. Leur histoire, ils avaient dû l'emprunter à des étrangers. Elle savait que c'était fini. Elle ne voulait plus le voir. Elle voulait dormir, uniquement cela, dormir, et l'hôpital dont parlait l'infirmière, puisqu'il voulait tout savoir, elle n'y avait pas travaillé, non, elle y avait été complètement folle, car elle ne faisait pas les choses à moitié. Elle rentrerait seule.

Sa pensée chancelait et fonçait dans tous les sens, dans le contexte de sa chambre. Elle se griffait le visage, elle cassait les chandeliers de cristal. Le chat grimpait sur le lit, le chat errant recueilli un soir par Gilles. Avec une paire de ciseaux elle découpait sa robe. Les morts étaient là, à solliciter sa chair. Ils clamaient leur prison, leur détresse. Ils étaient tous là, pareils à des fleurs vivaces dont les racines s'entrecroisaient sous sa peau. Ils lui demandaient son corps, nécessaire à leur voyage dans le courant de la journée. Le temps ne faisait pas les choses et les êtres à moitié. Une seconde suffisait, elle était abattue dans une ruelle de Harlem, elle s'éprenait d'un inconnu dans la ville de Valparaiso, une seconde suffisait à l'insoutenable, elle se retrouvait partout, avec eux, déchirée. C'était inconcevable de vivre ainsi, avec tous ces morts, avec Édith qui lui montrait des photographies. Diane regardait sa robe découpée. Oui, ça ne s'arrêterait pas, ils seraient toujours là et elle terminerait toujours l'interprétation de son rôle en déchirant sa robe. Sa pensée continuait à foncer dans tous les sens: elle était enceinte, Clément confectionnait des bateaux de papier, l'orpheline de visage brandissait une cuillère, dans le grand jardin.

Ce jour-là, rue Saint-Denis, elle avait essayé de déchirer sa chair mais, en réalité, elle n'avait déchiré que sa robe devant les passants. Le jour se taisait, se complaisait dans le silence. Une ambulance l'avait emportée dans un hôpital où les instants étaient des murs blancs qu'elle avait espéré défoncer. On lui avait ligoté les mains. On n'avait pas compris qu'elle voulait déchirer ce jour-là, qu'elle voulait déchirer tous les murs, ces surfaces où suintaient le profondément vrai et le profondément faux.

Elle balaye et ramasse les débris des chandeliers de cristal. La prisonnière en elle rêve de dormir. Elle lave le corps de la prisonnière, elle lave son ventre où loge un enfant. Elle va se coucher. Elle se sent infiniment épuisée. Elle écarte les rideaux. C'est déjà la nuit. C'est Mozart.

***

Gilles lui tend une rose parce que les choses ne supportent pas d'être seules, la nuit. Diane le laisse entrer. Il boirait bien un café. Elle a dû s'endormir dans le salon: une couverture et un oreiller traînent sur le tapis.

Gilles observe les cernes sous les yeux de Diane, les plis aux commissures des lèvres. Chaque mouvement contient le péril d'entendre: «C'est fini.» Il attend quelques minutes avant de se prononcer. Les racines des choses s'enchevêtrent sur les murs. Il se prononce ensuite à voix trop haute en bégayant. Quand sa fille est morte, il a failli devenir fou. Que Diane ait été internée, ça n'a pas d'importance; elle est tout pour lui. Il hoche la tête. Bien sûr, cela devait arriver, il a renversé sa tasse de café. Il attend quelques minutes, il essuie le napperon, il caresse l'échine du chat. C'est long, quelques minutes, tandis que Diane se détourne et verse du café dans une tasse. Bien sûr, les chats sont d'un grand secours lorsqu'on a peur, bien sûr, les mots prononcés sont d'un grand secours lorsqu'on dépend de ces autres mots suspendus dans le silence d'une pièce. Diane lui enlève son chapeau melon. Elle s'assoit sur lui et effleure son front. Il croit qu'il suffit d'une rose pour que les choses se reconnaissent, le matin, qu'il suffit d'allumer les lumières de la ville pour qu'elle le reconnaisse, lui. Il se met à parler: il l'aime, il ne peut pas imaginer la vie sans elle, elle est tout pour lui. Elle sort du silence, elle a la même voix enrouée que lui, elle a réfléchi. Bientôt, ils iront demeurer au bord de la mer.

Les mains fébriles de Clément lancent des bateaux de papier sur l'étang qui redevient l'incertaine rivière sur laquelle glissent l'Édith et la Palma. Tout peut recommencer. Gilles surveille Clément et Almanzor, il surveille la réalité qui lui échappe peut-être, durant la onzième journée du mois d'août. La réalité a des yeux de forêt, la réalité pose ses lèvres sur les siennes puis elle dit en souriant qu'il fait beau, qu'il fait chaud.

Dans le jardin, il remarque des détails singuliers, d'infimes détails qu'il ne voit pas habituellement, le vol d'une guêpe, des nids d'oiseaux et la démarche grotesque d'une handicapée. Il souffle sur les doigts de Diane et craint qu'elle ne s'enfuie vers d'incertaines rivières.

Marie Finon leur a fixé rendez-vous devant le cerisier de Mahaleb. Elle doit leur apprendre quelque chose de nouveau. Leïla et Icha sont accroupies sur l'herbe, près du banc occupé par Martine et Marie Finon. «Voilà, explique-t-elle, nous avons cherché, nous avons fréquenté l'innocence en serrant des mains. Nous avons suivi les idées qui nous venaient en nous tenant dans l'espérance des «comme». J'ai relu les comparaisons d'Icha, de Gilles, de Clément, d'Édith, j'ai relu nos comparaisons et, c'est certain, elles expriment un continent. Oui, c'est très simple, ce continent, c'est soi, entouré par un corps depuis la naissance, c'est aussi l'autre, à qui l'on offre sa main et son corps, pour transporter avec lui le sens de la vie. Les hommes et les femmes répètent l'entreprise des fleurs: ils s'annoncent les uns aux autres avec des gestes qui délivrent le monde enfoui en eux.» Ensemble, ils ont réussi à ouvrir les yeux et ils ont aperçu la lumière, dans les gestes des inconnus du jardin. Ensemble, ils ont formulé la grande demande. Marie Finon frissonne.

Gilles ne comprend pas. La réalité lui échappe peut-être. La réalité, en ce moment, c'est Marie Finon qui froisse l'ourlet de sa robe, c'est Martine qui chantonne une berceuse chilienne avec Icha, c'est Leïla qui approuve Marie Finon et donne un caillou à Diane. Les hommes en général se contentent d'avouer que la réalité leur échappe peut-être; ils examinent la terre, l'eau, le sable, les fleurs, la terre indécise comme le premier sourire sur le visage d'un enfant. Ils frôlent la bouche d'une femme qu'ils craignent de perdre. Gilles se tourne à nouveau vers cette botaniste surprenante qui leur a dévoilé les secrets des épervières, de la célosie et de la raiponce d'Asie.

Marie Finon poursuit. Ils n'ont pas cessé de demander l'autre dans le jardin. Recueillir des objets dans une valise rouge, serrer des mains, cela avait été une magnifique et terrible façon d'exister, Édith n'y avait pas survécu, cela avait été une longue promenade vers l'autre qui porte en lui, le sens de la vie.

Gilles lève les yeux vers le ciel, il frôle la bouche d'une femme qu'il craint de perdre. Il écoute une vieille dame qui souhaite aller jusqu'au bout en organisant avec eux la fête des inconnus, samedi, le vingt-cinq août. Les vieilles dames, aux yeux d'un bleu insoutenable, ont encore vingt ans, lorsqu'elles soulignent que l'univers est si immense qu'on pourrait facilement s'y égarer.

Gilles observe la languette collée sur l'ourlet de la robe de Marie Finon. Un fait accompli, pense-t-il. Il se relève. Cela n'a pas de sens de s'éloigner ainsi de la réalité, de s'appuyer sur une canne pour ne pas tomber.

— Qu'est-ce qui se passe?

Une femme lui sourit. Elle s'appelle Diane, elle s'appelle rivière, fleur et oiseau. Elle redit les paroles insolites de Marie Finon discourant sur le sens de la vie. Pourtant, cela n'a pas de sens, la vie, cela s'en va, la vie.

Il ne sait plus qui il est dans le contexte de la chambre. Il fait semblant. Les hommes en général font semblant de vivre, ils s'allongent sur un lit et bandent dans le ventre des femmes qui s'enfoncent avec eux dans le vaste vertige en poussant un long cri. Il n'a plus de nom, il doit se convaincre de vivre même si le sens de la vie continue à lui échapper. Oui, il va boire une tasse de café. Le chat bondit sur le lit. Il renverse la tasse de café. Diane rit. Elle l'embrasse. Elle lui donne plusieurs identités, celles d'un lièvre, d'une marmotte, d'un cerf. C'est étrange de songer que quelqu'un puisse l'interpeller ainsi.

***

Aujourd'hui, le seizième jour du mois d'août, le cinquième jour de la semaine, Diane lève les yeux vers le ciel.

Gilles retire de ses poches des pives de mélèze. Il fredonne la Symphonie 41. En amour, pense Diane, c'est peut-être parce qu'on se retrouve nu l'un devant l'autre, que les mots et les gestes de l'autre finissent par devenir une manière de se vêtir. Il fait beau, il fait chaud. Elle croit que la vie, c'est comme ça.

Dans le bois de conifères, la résine suinte en ruisselets blanchâtres sur les troncs. Les branches alourdies des épinettes de Norvège ploient sous le fardeau des cônes trop nombreux. Diane est particulièrement heureuse même si Gilles murmure dans son sommeil qu'il s'accroche au restant de l'humanité et qu'il transporte sa fille immobile et seule. Les mélèzes resplendissent au soleil. Elle n'a envie d'être que cela, un hurlement du soleil ému par la liberté sauvage des mélèzes.

Gilles la soulève, la repose sur l'herbe. Il invente une histoire: Diane et lui dansent sur les vagues de la mer; des mouettes volent au-dessus d'eux; il l'habille de vent, lui, il se couvre d'écume. Diane palpe la figure de Gilles. Elle l'aime tellement, cet homme qui lui ressemble trop, entrant comme elle dans des chambres déchirées, la nuit. Qu'est-ce que ça veut dire, «mon amour»? Elle l'aime tellement, cet homme qui vient d'étendre ses bras ainsi que le font les arbres pour ramasser le ciel. Il l'étreint: il colle sur sa peau le ciel demeuré entre ses bras.

Diane marche en riant. Soudain, elle se sent emportée dans ce ventre du vertige dont Gilles parle, la nuit. C'est inconcevable, ce mal de cœur! C'est inconcevable d'être heureuse et d'éprouver pourtant une sensation de vide sous les pieds! Il fait chaud, il fait froid dans ce bois de conifères où elle entend le hurlement du soleil. Elle s'accroche aux mains de Gilles, au restant de l'humanité. Elle ne peut plus avancer, elle ne peut plus supporter cette douleur qui lui empoigne le ventre. À la lisière de l'évanouissement, elle regarde ses jambes. Cette douleur, c'est du sang rouge et chaud sur ses cuisses. C'est son enfant qui s'en va. Elle entend des étoiles qui se mettent à gémir. Elle n'entend plus qu'une histoire inventée par des mélèzes qui cherchent des mouchoirs, des serviettes et un médecin. La mort, c'est exactement comme ça.

Diane se rappelait confusément une salle d'urgence, un hôpital. Un homme près d'elle chuchotait. Une infirmière s'adressait à lui. Elle entrevoyait leur silhouette à travers un brouillard. «C'est une fausse-couche», déclarait l'infirmière à Gilles qui exigeait des précisions. Tout était vrai, tout était faux en même temps. Elle se sentait dépouillée.

Cet homme assoupi près d'elle est tout pour elle. Cela ne durera plus longtemps: les prisonnières savent que l'été ne dure que deux mois, dans ce pays où l'on dit «c'est comme...».

La sonnerie de la porte retentit. Marie Finon s'inquiète de son état de santé. Demain, le vingt-cinq août, ils fêteront les inconnus. Diane assure à Marie Finon qu'elle sera suffisamment forte pour s'y rendre.

Depuis quelques jours, Gilles prend des notes afin de ne rien oublier. Diane se penche au-dessus de son épaule, veut le toucher mais se cogne à chaque fois le coude contre le rebord de la table. C'est une question d'interprétation, cet espace les entourant et multipliant les obstacles entre eux. Ils tentent de se rejoindre et n'y parviennent plus. Saisir une main, saisir le vide d'une main, frôler un visage, frôler le vide d'un visage, avouer que l'existence s'efface.

Elle le regarde. Il la regarde. Elle s'approche de lui mais s'arrête en chemin. Il tend le bras vers elle, puis le laisse retomber. Les journées se déroulent ainsi. Ils ne sont plus que deux corps hésitants dans le contexte de la chambre. Les instants glissent entre leurs doigts. Des souvenirs défilent devant leurs yeux: des iris, une robe de bal verte, un amélanchier, des bateaux de papier, des forêts, des oiseaux et des rivières. La nuit, ils ne sont plus que deux étrangers n'osant plus se demander: «Qu'est-ce que ça veut dire, mon amour?»

***

Marie Finon avait commencé à danser avec Almanzor sur le sentier séparant les deux étangs, Leïla, de son côté, avait invité un homme barbu. Des couples s'étaient formés sur diverses sentes, près du ruisseau fleuri et dans l'allée centrale. L'importance du monde faisait se joindre les mains des inconnus, l'importance d'un sourire frémissait sur les visages. Gilles valsait avec une adolescente, Diane avec Clément. Le grand jardin dansait de partout.

L'heure douce et immense abritait des centaines de gens dans ses paumes. Il n'y avait plus rien d'accessoire. Cela dépendait d'une vieille femme qui s'était levée ce matin-là avec son nom sur les lèvres: elle s'appelait Adèle Bessette, elle s'appelait Marie Finon. Elle voulait célébrer l'anniversaire de sa petite-fille, Martine Bessette. Vêtue d'une longue robe blanche, Martine chantonnait avec sa grand-mère. Martine se mariait avec le temps, avec ce samedi, c'était une idée de sa grand-mère, qui abordait poliment les jours de l'année et qui entretenait avec chacun d'eux, des liens étroits et singuliers. Ne venait-elle pas de passer une soixantaine de jours, dans le jardin, à la recherche du sens de la vie, réfugié, selon elle, au creux des mains?

Des touristes et des Montréalais avaient reçu à l'entrée un billet sur lequel Marie Finon avait écrit: «C'est l'anniversaire de ma petite-fille qui n'a rien obtenu jusqu'à maintenant. Voudriez-vous danser pour elle?» Tous ces inconnus réunis dans le jardin obéissaient à une vieille femme qui sollicitait un peu d'amour pour une orpheline de visage.

Martine hochait la tête, entre les bras de Gilles. Elle se laissait entraîner par Clément vers les pommetiers. En compagnie de Diane, elle fredonnait la Symphonie 41.

Aujourd'hui, la vie trouvait Mozart sur son chemin. Jamais on ne lui avait accordé autant d'attention. C'était sa journée à elle, elle était heureuse mais elle craignait que ces gens ne s'épuisent en la serrant dans leurs bras. Auparavant, on se moquait d'elle, on l'insultait, elle avait toujours eu peur des inconnus. Elle n'avait jamais fait partie de l'humanité. Il y avait trop d'enfants, trop d'hommes, trop de femmes autour d'elle. Affolée, elle s'était mise à tournoyer, à se cogner aux gens, elle s'était ensuite assise en cachant sa figure derrière ses mains.

Dissimulée derrière le feuillage du cerisier de Mahaleb, elle s'était mise à discuter seule. Elle emplissait sa cuillère de terre, qu'elle lançait à ceux qui s'avançaient vers elle. Gilles l'observait. Elle semblait hors d'elle-même, habitée par une douleur plus forte qu'elle-même. Elle avait crié: «Partez, j'ai mal!» Quand Marie Finon l'avait prise par la taille, elle l'avait repoussée et s'était élancée en courant vers le bois de bouleaux, contournant les viornes et heurtant des visiteurs sur son passage.

Clément avait aidé Marie Finon à immobiliser Martine. Gilles s'appuyait sur sa canne. Il n'y avait plus de jardin, il n'y avait plus de temps, il n'y avait plus que le vide. C'était comme si la vie n'avait pas de sens, dans ce calepin que Marie Finon lui avait prêté quelques secondes.

CHAPITRE 10

Durant tant de jours, ils avaient échangé des mots comme des façons de mourir. Le mois de septembre coulait en eau sur Montréal. Ils s'observaient, ils fabriquaient de l'éloignement. Dans le lit, quand ils s'étreignaient, leurs corps hurlaient, leurs corps ventaient. Ils ne tenaient plus l'un à l'autre que par la force des choses. La pluie donnait aux fenêtres l'allure de grands yeux ouverts sur l'automne.

Diane rompt le silence. Elle bouge enfin, elle répond, elle renverse sur le tapis du salon ce café qu'il a préparé. Puis elle déterre une phrase enfouie en elle-même, assure que cela fait mal, une phrase brûlante et contenant la vérité:

— J'ai cherché...

Elle a cherché à lui dire cet homme et cette femme qu'elle croyait dans un jardin. Elle rit. Les phrases brûlantes sont parfois très courtes. Elle a cherché à lui dire ce bonheur ourdi par les roses: un homme et une femme qui puissent s'enraciner dans les tremblements de la lumière, un homme et une femme qui puissent s'allonger nus sur les infinies clartés du début du monde. Mais c'est fini.

Il la prend dans ses bras. Il la conduit vers le lit. Là, il lui invente une histoire. Il préfère inventer des histoires plutôt que de les vivre, c'est un problème courant chez les errants qui se trompent d'identité, en temps de guerre. Il évoque cette inconnue, aux longues jambes de chênes couvertes d'iris, de mousse et d'ancolies, qu'ils ont aperçue un soir, à minuit, et qui s'approche de la réalité en disant: «C'est comme…»

Demain, à vingt-deux heures, il va partir. Il lui souffle à l'oreille une proposition. Maintenant peut vraiment être maintenant, avec des mots et des gestes qu'eux seuls connaissent. En amour, cela se produit toujours ainsi, on tombe dans l'immensité troublée, on s'emplit d'animaux qui détiennent le secret de la vie abondante, liant un homme à une femme. Il partira demain soir. Les mots, les gestes et les bêtes, ce qui compte dans le domaine du possible, ne partira jamais. L'inconnue, la terre, les conservera.

Il fait beau, il fait chaud. Le jardin doit s'étourdir de ce bercement des couleurs sur les feuillages des saules, des érables et des chênes. Diane a mis sa robe de bal verte. Lui, il s'est vêtu en Charlie Chaplin. Il avait sûrement rêvé, dans l'étroite ville de Genève, de grands espaces où renverser une tasse de café ne risque pas d'être remarqué. Il n'était peut-être venu au Québec que pour cette raison.

Ils se penchent. Ils ramassent des brins d'herbe. Diane

lui offre une pive de mélèze séchée. Elle a des yeux de forêt, un sourire retenu, des lèvres qui semblent murmurer «vous».

Gilles invite Diane à s'asseoir sur le banc, devant le cerisier de Mahaleb. Diane dépose une valise rouge près du banc. Cette valise qu'Édith avait si souvent transportée. Certains objets, de l'herbe, des valises et des cuillères, finissent par habiter votre cœur et y préservent l'importance du monde. Il y a toutes sortes de manières de quêter le sens de la vie.

Gilles et Diane se lèvent; ils saluent l'amélanchier japonais et, plus loin, un chêne baptisé «Nécessaire». Ils reviennent vers l'étang aux saules et confectionnent des bateaux de papier qu'ils lancent sur l'eau. Une vieille femme s'accroupit près de Diane; elle vient chaque jour ici afin de retrouver quelque chose qu'elle a perdu, un après-midi ou un soir, elle ne se rappelle plus. Voilà, elle s'est complètement égarée, elle n'a plus de nom, plus d'adresse, elle leur montre un calepin noir. Ce calepin, c'est sa mémoire. Elle lit à voix haute ce qui est écrit sur l'une des pages: Adèle Bessette ou Marie Finon réside au 4531, rue Rachel, avec Icha, Leïla et Martine. Elle referme son calepin et, avant de les quitter, leur serre la main. Voilà, selon elle, les doigts sont des continents; en serrant leur main, elle aborde poliment quelque chose qu'elle a perdu.

Pour la dernière fois, ils dansent sur le sentier séparant les deux étangs; ils se sentent légers, muets et mélèzes, falaises et récifs dans un pays semblable à Marie Finon, dans un pays qui n'a pas de nom malgré qu'on n'arrête pas d'y chuchoter: qu'est-ce que ça veut dire «mon amour»?

Au coin de la rue Sherbrooke et du boulevard Pie IX, ils se regardent pour la dernière fois. Diane hoche la tête. C'est une question d'interprétation. La dernière minute dure une éternité. Elle a le cœur déchiré. Il a le cœur déchiré. Tout est profondément vrai, tout est profondément faux. Il remarque que Diane tremble comme lui, qu'elle se met à fredonner la Symphonie 41, puis à sourire, puis à souffrir comme lui, en agitant la main dans un pays qui n'a pas de nom.

Diane descend le boulevard Pie IX; elle se cogne à un réverbère. Sa silhouette s'amenuise. Il sait que dans la vie, c'est comme ça, il y a toujours une dernière fois.

Gilles souligne le dernier mot. Il examine la pile de feuilles manuscrites sur la table. Adelbert grimpe sur ses genoux. Il flatte le pelage du chat. Il imagine qu'en ce moment, à Montréal, un autre Adelbert bondit sur les genoux de Diane. Il voit les racines des choses se croiser sur les murs, dans le contexte de son bureau, ici, à Genève. Ce matin, il a acheté une rose; il croit que les roses sont d'un grand secours quand on a perdu quelqu'un, il croit que les roses disent l'importance du monde. Il imagine que Diane ouvre la porte, en ce moment. Elle doit penser au contexte du vertige en longeant le boulevard Pie IX. Elle doit pénétrer ensuite dans le grand jardin où il fait beau, où il fait chaud, elle doit entendre Mozart tandis que des inconnus demandent encore à des fleurs de leur indiquer le sens de la vie.

Ouvrages déjà parus dans la collection "romans et nouvelles" de La Pleine Lune

La Chatte blanche, Charlotte Boisjoli.

Le Carnet fantôme, Louise Deschênes.

Complainte en sol majeur, Denise De Montigny.

La Constellation du Cygne, Yolande Villemaire.
Grand Prix du Roman du Journal de Montréal, 1985.

Coquillage, Esther Rochon.
Grand Prix Logidisque de la science-fiction et du fantastique québécois, 1987.

Le Deuxième Monopoly des précieux, Pauline Harvey.
Prix des Jeunes Écrivains du Journal de Montréal, 1983.

Le Dragon vert, Charlotte Boisjoli.

L'Écran brisé, Louise Fréchette.

Encore une partie pour Berri, Pauline Harvey.
Prix Molson de l'Académie canadienne-française, 1985.

L'Espace du diamant, Esther Rochon.
Grand Prix de la science-fiction et du fantastique québécois, 1991.

L'Enfant de la batture, Nicole Houde.
Prix Air Canada, 1989.

Les Feux de l'exil, Dominique Blondeau.

Les Filets, Désirée Szucsany.

Le Fils d'Ariane, Micheline La France.

Georgie, Jeanne-d'Arc Jutras.

Harry qui passe, Michelle Enser.

L'Irrecevable, Virginie Sumpf.

Lettres à cher Alain, Nicole Houde.

La Louve-Garou, Claire Dé et Anne Dandurand.

La Maison du remous, Nicole Houde.
Prix littéraire de la Bibliothèque de prêt du Saguenay-Lac St-Jean, 1987.

La Malentendue, Nicole Houde.
Prix des Jeunes Écrivains du Journal de Montréal, 1984.

La Muse et le Boiteux, Normande Élie.

Non, je n'ai pas dansé nue, Sylvie Sicotte.

Nouvelles d'Abitibi, Jeanne-Mance Delisle.

Le Pendu de Mont-Rolland, Monique Beaulne.

Le Porphyre de la rue Dézéry, Colette Tougas.

Ses cheveux comme le soir et sa robe écarlate,
Jeanne-Mance Delisle.

Soleil rauque, Geneviève Letarte.

Station Transit, Geneviève Letarte.

Un ancien récit, Virginie Sumpf.

Le Traversier, Esther Rochon.
Grand Prix Logidisque de la science-fiction et du fantastique québécois, 1987.

La Ville aux gueux, Pauline Harvey.
Prix des Jeunes Écrivains du Journal de Montréal, 1983.